读

史

使

人

明

智

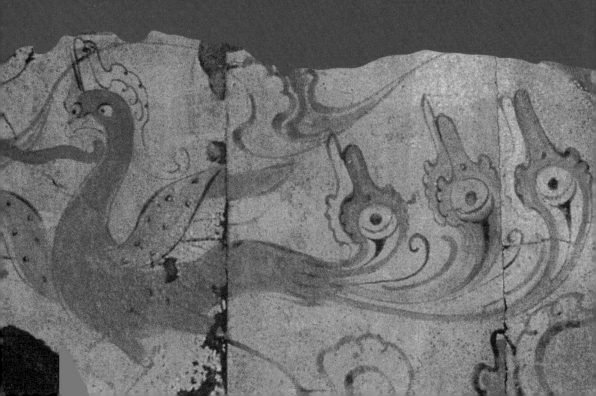

《史记》故事中的

SHIJIGUSHIZHONGDEDAQIFA

大启发

同心出版社

编 者 的 话

　　司马迁，西汉史学家、文学家和思想家。字子长，夏阳（今陕西韩城南）人。父亲司马谈担任太史令，掌管宫廷珍贵的典籍，负责记载历史事件。司马迁小时候也受到他父亲这方面的影响，10岁到长安上学读书，20岁开始漫游，游遍大半个中国，到处考察历史遗迹，接触社会各方面的人物，了解地方风土人情，采集传闻轶事。这样，他"读万卷书，行万里路"，积累了丰富的历史资料，增长了不少见识，为他后来写作《史记》打下了基础。20多岁司马迁进入朝廷担任郎中。38岁继承父亲的职务，当了太史令，有机会读遍国家珍藏的历史书籍。他42岁开始写作《史记》。五年后，司马迁因为替投降匈奴的将领李陵辩解，遭到大祸，被判处宫刑（割除生殖器官），关进牢狱。但是司马迁为了完成著作，坚强地生活下去。出狱后，任中书令，发愤写作。经过10年的艰辛，终于在他52岁时写成了《史记》。

　　《史记》，记载了从黄帝到汉武帝长达3000年的历史。全书130篇，包括12本纪（记述历代帝王政迹）、8书（记各种典章制度）、12表（记大事年月）、30世家（记诸侯各国的兴亡）、70列传（记重要历史人物的言行）五个部分，共52万字。这是一部宏伟的历史巨著，它给后人以无穷的启示和深远的影响。

　　这本《〈史记〉故事中的大启发》，从《史记》的12本纪、30世家和70列传中，精心选择，然后加工成130个篇目，即130个精彩故事，供少年朋友阅读欣赏。为了便于少年朋友阅读和理解本书的内容，我们将《史记》原有的编排体例进行了适当调整，以年代先后为序，使人物、事件大致相对集中。

　　在内容编排方面，我们采取了三项具体措施：一、精心选取故事内容。选后写成的故事，短小精悍，精彩纷呈，故事性强，容易引起阅读兴趣。二、细心遣词造句。尽量选择少年朋友能够理解的语言文字，使原本难懂的古汉语，变得既通俗易懂，又生动活泼。三、潜心配制插图。根据故事内容配上精美的图画，达到图文并茂，使故事内容更加生动形象，这样更便于少年朋友欣赏品味故事内容。采取这些措施的目的，是让少年朋友在轻松愉快的阅读过程中，了解中华民族发展的历史，学到丰富的历史知识，继承和发扬中华民族的传统美德，从历史人物的不同表现可以领悟怎样做人，使自己不断地提高思想道德修养。可以说，这本书为少年朋友健康茁壮地成长，增添了一份精神食粮。祝愿少年朋友们天天向上！

目 录

目 录

目 录

目 录

黄帝统一天下

■ 黄帝画像

黄帝，本姓公孙，名叫轩辕。他小时候就很不平凡，生下来两个多月就会说话。他几岁时就才智过人，口才出众。到20岁，就知识广博，经验丰富，很有教养，友爱处世，做事机警灵敏，是非分明。

由于黄帝的才能、品德和威望出众，他被人们推举为华族部落的首领。

在轩辕生活的时代，为了扩大财富和领地，氏族部落之间经常发生争斗。在这种情况下，轩辕

就动用军事力量，征服那些破坏部落联盟规章的部落。当时的炎帝——一个强悍部落的首领，经常掠夺和欺侮邻近的部落。轩辕

■ 涿鹿之战

史记故事中的大启发

10

■ 涿鹿古战场遗址（今河北涿鹿矶山川）

为了打败炎帝，积极备战。他重新整顿军队，提高军队的战斗能力；同时还积极发展生产，推广种植黍、稷、菽、麦、稻等，让人们安居乐业。这些准备工作都做好了，黄帝决定去征伐炎帝。双方军队在阪泉（河北省涿鹿县东南）相遇，展开了生死决战。经过三次交战，炎帝战败，认输了，与黄帝结成了联盟。黄帝统一了中原。炎黄两族融合成一体，共同开发黄河流域，使黄河两岸成为中国古代文化的摇篮。

黄帝为了征服那些不听从命令的部落，率军亲征。东到沿海和山东的泰山，西到甘肃的崆峒，南到长江流域，北到河北的怀柔，从没有安闲地休息过。

黄帝为人忠厚，赢得了天时、地利、人和。他让人推算历法，可以预知未来的节气和气候，找到

大自然的变化规律，以便不失时机地播种农作物，栽培花草树木。黄帝的这些措施，深得民心，广为传布。在他统治的很多年中，都是风调雨顺，五谷丰登，天下太平。黄帝鼓励农民勤劳耕作，教导民众保护土地，爱惜江湖和山林，按照季节进行采伐收割和狩猎，不要过度开采利用，禁止乱砍滥伐。这些政策和措施顺乎民意，深得民心。

黄帝逝世后，安葬在桥山。他的孙子高阳即位，这就是颛顼。

■ 黄帝陵

史记故事中的大启发

11

帝尧选接班人

史记故事中的大启发

贤明仁厚的帝尧担任部落联盟最高首领几十年，日夜为民众操劳，更为黄河水患忧虑。他想做的事很多，可现在人老了，力不从心，于是想选个接班人。四岳向尧推荐舜，四岳说：冀州有个平民叫虞舜，母亲早就去世了，父亲瞽叟双目失明，舜靠种地捕鱼养家糊口，有时做些陶器。他勤劳，诚恳，朴实，孝顺父母，爱护弟弟。这种人一定可以担当大任。

尧听了以后，认为可以，但要亲自考察考察。于是就把两个女儿娥皇和女英嫁给30岁却还没结婚的舜为妻，又让九个儿子和舜一起工作，用来观察舜的为人和才能。

尧让舜担任司徒的职务（相当于后来的丞相），来协调父子、君臣、夫妇、兄弟、朋友之间的关系，他做得很好；又让舜经常参加百官事务，他又把百官事务处理得很有秩序；让他做接待宾客的工作，他也做得很出色。尧还派舜到深山和大河去，遇到急风暴雨，从来不误事。

■ 帝尧画像

■ 尧舜禅位图

尧对舜经过一段时间的考察，认为舜的品德确实很好，而且处理各种棘手的事情很有办法。让舜帮助自己办事，不论让他做什么，他都做得井井有条，受到各部落首领和宾客的称赞与尊敬。因此，尧认定舜可以做他的接班人，就把最高首领的位置让给了舜。

这种让位，历史上叫禅让。

尧在生前就知道，自己的儿子丹朱无德无能，不能把管理天下的权力交给他。于是尧就把帝位交给舜，因为舜能管理好天下，使天下人都能得到好处，过上好日子。

尧帝非常富有，但是并不蛮横奢侈；他非常高贵，但是并不怠慢别人。由于他的德行让人钦佩，所以能团结天下人心，得到天下人的拥护。

舜做了君王之后，过了28年，尧去世了。老百姓非常悲哀，就好像死的是自己的父母一样。三年时间内，全国各地都没有演奏音乐，人们用这种方式表达对尧的思念之情。

史记故事中的大启发

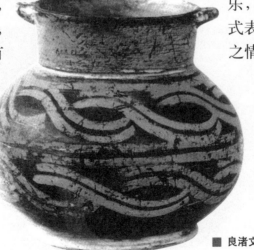

■ 良渚文化·彩绘陶罐

孝顺宽厚的舜帝

■ 舜帝画像

舜的父亲瞽叟，是个盲人，品质败坏；母亲是个不讲忠信的人；弟弟象，讲究享受，待人很傲慢。父亲瞽叟偏爱弟弟。他们总想杀掉舜，可就是找不到机会。只要舜有小的过错，就要受到重罚。但是，舜仍然孝顺养活父母，而且对父母越来越恭敬。

舜很勤劳，耕地、捕鱼、做瓦器、制作家具等等都干。

父亲总想杀死他，先是让舜爬到粮仓上去修仓顶，然后在下面放火烧粮仓。舜用斗笠护住身体，跳下粮仓，逃离火海。后来父亲又让舜去挖井，等井挖深之后，

父亲瞽叟和弟弟象就一起往井下填土，想把舜埋死在井里。舜从井旁的暗道中逃了出来，脱离了险境。他们虽然这样对待他，但是舜仍然伺候供养父亲，爱护弟弟。舜

■ 弧线圆点纹彩陶盆

答案 ■ 5000里。

■ 鹳鱼石斧陶罐

舜把过去没有利用起来的有才能的人都充分利用起来，人尽其才，为民效力。这些被任命的官员都做出了成绩。禹的功劳最大，他开通了九座大山，疏通了九处湖泊，引导了九条河流，划定了九州方界。全国国土广大，纵横5000里。

四海之内，都佩服舜帝的领导，并赞誉他精明、开明。掌握政权为普天下民众做好事，就是从他这个时代开始的。

宽厚待人，在他的影响下，历山的人就不再争田夺地，而是互相推让；雷泽边的人不再争夺房屋，也是互相推让；在黄河边制陶器的人都不再粗制滥造，结果黄河边出产的陶器个个精致耐用。

为了把尧帝的事业发扬光大，

■ 壁画艺术中宁静的尧舜时代

史记故事中的大启发

大禹治水

■ 马麟·夏禹王画像

史记故事中的大启发

夏禹是黄帝的玄孙,也是颛顼的孙子。

在尧的时候,天下发大水,波浪滔天,漫无边际,到处都被淹没了,天下人眼看着却毫无办法。尧任用鲧治理洪水,九年过去了,洪水仍然泛滥成灾。这个时候,尧帝又任用舜,舜又任用鲧的儿子禹,继续治水。

禹与百姓都积极行动起来,共同治水。他翻山越岭,在经过的地方作出标记,用来确定治理高山大川的规划。他不怕苦不怕累地劳作,在外面奔波了13年,经过家门也不肯进去休息。而且把所有财力和物力都用在治水上。不管自然环境多么恶劣,他都身体力行,战胜困难。他让大家根据春夏秋冬不同的节令和气候条件,开发九州土地,疏通九条河道,深挖九处湖泊,测量九大山系。他还命令益把稻种分发给农民,让他们在低地耕种。又命令后稷把食品分发给民众,哪里不够吃,就从其他地方调来一些补充。

■ 大禹治水石刻画

答案 ■ 冀州。

■ 夏禹王画像石拓片

禹的治水活动，是从冀州开始的，然后是衮州、青州、徐州、扬州、荆州、豫州、梁州、雍州等等，所有这些地区的山川湖泊都治理得很成功、很有成效。原来边远地区不能居住，现在可以安居了；九条山脉都开出了道路，九条河流也都疏通了，九片湖泊也都筑起了堤坝。

四海之内献礼的道路都畅通无阻了，各个地区的土地都要按照标准规定认真纳税；国家的政策法令、道德规范可以传布到全国，政令通畅、统一了，国家也好管理了。

禹治水功劳特别大，于是舜帝就赏给禹一块黑色宝玉，用来告示天下，让大家都知道，禹治水成功，天下安定。

史记故事中的大启发

■ 大禹陵

商纣王的残暴

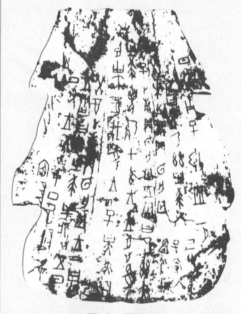

■ 商·甲骨文

纣王，也叫帝辛，是商朝最后一个君主。

纣王整天饮酒作乐。他最宠爱妲己，为了讨妲己的欢心，他要师涓创作淫秽的音乐和庸俗色情舞蹈，供他和妲己欣赏玩乐。又在都城内，耗费大量人力、财力、物力，修建了高千尺、方圆三里的鹿台，鹿台里装满了从各地搜刮来的金银和珍宝。鹿台的一边还修了一个驯养离奇怪兽的游乐场所。

纣王为了掠夺更多的财物供自己挥霍享受，就不断提高诸侯交钱交物的数量，加重人们的交税金额。民众叫苦连天，怨声载道，有的诸侯就起来反抗。于是纣王就采用重刑，残酷镇压。最残酷的刑罚是用炭火烧烤铜柱，让人在烧红了的铜柱上行走，然后掉入火中烧死。大臣们都不敢看，纣王和妲己却哈哈大笑。

纣任命西伯昌、九侯、鄂侯三人为三公（官名），管理诸侯，对不来王宫献礼物的诸侯进行讨伐。九侯接受任务后，整

答案 ■ 比干。

■ 商·龙玦

伙，像你们这些人留着有何用！"立刻命令左右把鄂侯也一起杀了。纣王觉得这样杀人还不解气，又把九侯的尸首剁成肉酱，把鄂侯的尸首熏成肉干，然后分送给各诸侯，叫他们知道利害，不敢再放肆。

对纣王的荒淫残暴，有些品德好的大臣多次劝告他，但纣王都不听，于是大臣微子和其他几位大臣一起离去了。王子比干再次向纣提意见，纣发怒，于是就剖开了比干的胸部，挖出心脏来让大家看。

后人评说，纣和桀一样，都是历史上有名的暴君。

天闷闷不乐。他的女儿问明原因后决定代父去提意见，规劝纣王。九侯的女儿长得如花似玉，纣王见了满心欢喜，九侯的女儿厌恶纣王的无耻行为，可是想到自己的使命，又强作欢笑，几次对纣王好言相劝。纣王大怒，把她杀了。纣王杀了九侯的女儿，余恨未消，接着又喝令左右把九侯推出处死。这时，鄂侯连忙上前劝阻，纣王大声喝道："你和他是同

史记故事中的大启发

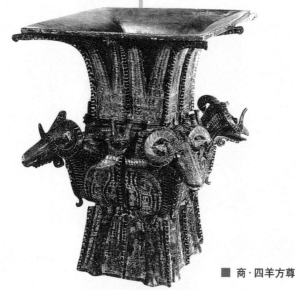

■ 商·四羊方尊

历史小测验 ■ 姜太公任国师后，用心协助谁处理国家大事？

姜太公钓鱼

太公姓姜，东夷人，炎帝的后裔，先祖协助大禹治水有功，封在吕，所以又姓吕，名尚，字子牙，人称姜子牙。因西周初年任国师，所以也称师尚父。后来协助周武王灭商有功，封于齐，俗称姜太公。

吕尚虽然很有才华，但没有地方施展。他曾在商朝的都城朝歌做过杀牛的生意，又在孟津开过饭铺。到70多岁时，他听说周文王广招有德有才的人，就在渭水北岸的兹泉钓鱼，希望遇见周文王。起初，吕尚钓鱼的技术很

■ 西伯昌画像

不高明，钓不到鱼，后来，有个农民教给他钓鱼的方法，他很快就钓到了鱼，很高兴。

有一天，西伯昌（周文王）要出去打猎，先要太史（官名）卜个卦，看看是否吉利。太史卜完卦，对西伯昌说："你要收获的，既不是龙也不是

史记故事中的大启发

答案 ■ 西伯昌（周文王）。

■ 姜太公

■ 姜尚画像

螭，既不是虎也不是熊，而是能协助你建立帝业的人才。"西伯昌听了很高兴，于是就带了一群勇士出去打猎，果然发现在渭水北面溪流旁边的一块大石头上，坐着一个老人。他银须飘拂，神态闲静，手里拿着钓鱼竿正在钓鱼。西伯昌心想，这也许就是太史卜卦所说的协助建立帝业的人，于是走上前去向钓鱼老人打招呼。吕尚也赶忙站起来行礼，说出自己的姓名。经过一番交谈，西伯昌非常高兴，说："以前我的先祖太公曾经说过将来会有圣人来到周国，周国会兴旺发达。你就是圣人吧，我家太公盼望你很久了！"所以后来又称吕尚为"太公望"。

西伯昌回到都城以后，当着很多大臣的面，拜吕尚为国师，对吕尚非常尊敬，称呼的时候，后面还加个"父"字，因此吕尚又叫师尚父。

吕尚任国师后，用心协助西伯昌整顿国家内部事物，收揽人心，扩充军备。还为推翻商朝想出了很多用兵的奇妙计策，为奠定灭商的基础作出了贡献。西伯昌去世以后，他协助周武王灭掉了商朝。师尚父的功绩很大，于是周武王把他的封地设在了齐国的营丘。

史记故事中的大启发

■ 现已干枯的渭水

21

历史小测验 ■ 周公的本名叫什么?

周公旦舍己为人

周公旦,是周武王的弟弟。周王朝建立的第二年,天下还是没有安定下来,政权还不稳固。又碰上武王生病,总也不见好转,群臣都很忧虑。太公、召公去文王庙占卜吉凶。周公说:"还是不要打扰我们的先王了! 不要让他们太担忧!"因此,他就用自己的生命做担保,设三座祭坛,然后向北站着,胸前挂着璧,手里拿着圭,向太王、王季、文王祈祷。周公让史

■ 周公画像

■ 周公营建东都旧址

官把祈祷文念给太王、王季、文王,说自己要代替武王去死,让武王的病完全好转,然后就到三王灵位前占卜。占卜的人都说预言吉利,打开占卜书一看,果真吉利。周公非常高兴,马上进宫向武王道贺。随后,周公回家,把策书藏在金属匣子里,密封好,告诫看守人要保守秘密。第二天,周武王的病就彻底好了。

武王去世的时候,成王还年幼。周公担心天下有些人搞叛乱,就自己登上王位,暂时替成王行使职权,主持国家大事。但是周公的忠心并没有被大家理解。特别是三哥管叔和弟弟们都怀疑周公

想夺取王位。周公知道这种情况以后，就向太公望和弟弟召公解释说："我所以不避嫌疑，代替成王治理国家，实在是怕天下人背叛周朝。武王去世早，成王又太小，

■《尚书·大诰》内页·记载着周成王和周公的事迹。

为了完成周朝大业，我不得不这样做。"后来，管叔、蔡叔、武庚等人果然叛变。周公执行成王的命令，出兵东征，杀掉了管叔，处死了武庚，流放了蔡叔。

成王还年幼的时候，曾经生病。周公把指甲剪下来，放到河里，对河神祈祷说："成王年幼，还不懂事，违反神命的人是我，不是他。"然后把这份祈祷原文藏在内府，不久，成王的病就全好了。后来，成王执政了，有人诬告周公对成王不忠，于是周公逃到楚国避难。成王打开内府档案，见到了周公向河神祈祷的原文，感动得失声痛哭，立刻派人把周公请回来。

周公回到朝中，担心成王年轻气盛，可能会荒淫放荡，因此作了《多士》和《毋逸》两篇文章，告诫成王治理国家要兢兢业业，不要贪图安逸；要依法治国，不要违背百姓的愿望。从文章中可以看出他效忠国家的品德。

■ 周公辅成王画像石

史记故事中的大启发

历史小测验 ■ 纣王最后是怎么死的?

武王伐纣

周国在丰镐（今陕西西安西北）定都后的第二年，周文王病逝，太子姬发继位，这就是周武王。武王继承父亲的遗志，准备讨伐纣。

商朝一些正直的大臣，看到商朝不行了，纣王已无可救药，就纷纷投奔到周国。周武王看到纣王已经受到大家的反对，认为灭商的时机已经成熟，于是就选择了一个吉日，亲自率领战车300辆，精兵4.5万人，近卫军3000人，加上各处诸侯的兵车4000辆，浩浩荡荡，东进伐纣。

■ 周武王画像

武王的部队从孟津渡过黄河后，举行了盛大的誓师大会。担任统兵的姜尚宣布了纣王的罪状，武王发布了动员令，鼓励将士们英勇作战。誓师大会后，周朝对商朝发动了全面进攻，一路节节胜利，第五天就逼近了商的都城，到达了牧野，离纣王居住的朝歌只有70里。

纣王听说武王来了，大吃一惊，慌忙停止歌舞，撤

答案 ■ 战败自焚而死。

■ 西周·何尊

去酒席，仓促调集 70 万大军，亲自率领，开赴牧野。牧野决战就要开始了。武王阵前作了简短动员，鼓励将士要像虎熊那样勇敢，像豺狼那样凶猛，要勇往直前，否则，要受到严刑惩罚。武王讲完话后，命令姜尚用 100 精兵前去挑战。这些精兵弯弓搭箭，齐向商军射击。纣王见这点人马竟敢在他面前耀武扬威，怒气冲天，立即指挥全军出击。这时武王命令千辆兵车直向商军的心脏杀去。纣王的军队虽然比武王的军队多得多，但士兵们不愿受纣王残暴之苦，纷纷投降周军，调转枪口，为武王开路。武王抓住战机，乘胜追击，

直捣纣王的老巢——朝歌。

纣王逃回城内，登上王位，穿上珍贵宝玉镶制的衣服，跳到火中自焚而死。武王进入都城，来到纣王死亡的地方，亲自向自焚的纣王尸体连射三箭，然后斩下纣的头颅悬挂在大白旗上示众。接着武王又向两个上吊自杀的宠姬连射三箭，并取下她们的头悬挂在小白旗的旗杆上示众。

周武王做了天子，在群臣的簇拥下，走上集会的商台，举行了隆重的典礼。从此，中国历史上第三个奴隶制王朝——西周，就建立起来了。

史记故事中的大启发

■ 西周·玉龙圈

厉王堵言路

史记故事中的大启发

周厉王即位后，为满足自己荒淫奢侈的生活，想方设法搜刮民众的财富。当时有个叫荣公的大夫，在搜刮财物方面非常有办法，受到厉王的信任。

荣公垄断山林、河流、湖泊的一切收益，不准平民去砍柴、捕鱼、打猎，使老百姓断了活路；他又对城里的手工业者和商人征收重税，控制他们的生产和买卖，使他们难以活命。大夫芮良夫鉴于这种情况，就劝告厉王不能重用荣公这样的人，否则周朝的前途不妙。可是厉王对芮良夫的话根本听不进去，仍然支持荣公继

续这样干。结果弄得老百姓无衣无食，卖儿卖女，怨声载道。辅佐厉王的大臣召公看到这种严重形势，告诫厉王说："现在到处都可听到不满的言论。民众因为痛苦才怨骂，只要消除他们的痛苦，自然就不骂了。如果不改变政策，那时后悔也来不及了。"厉王听了大怒，立刻说："你不必多虑，我有办法管教他们！"厉王马上传令，召见他最宠信的卫巫（指专门

■ 周召公自用的兵器——太保戈

答案 ■ 召公。

■ 西周贵族服饰

装神弄鬼从事迷信活动的人），让他监视那些有不满言论的人。卫巫把他一向所不喜欢的人，写在一张名单上，交给厉王。厉王立刻传令把名单上的人通通杀掉。卫巫又派出许多狗腿子四处活动，搜集民众的言论，把一批批无辜的人抓起来杀了。

为了免遭杀身之祸，大家都不敢说话，路上相见，也只用目光示意，整个都城好像变成了一座死城。厉王知道没有人敢发表议论，非常得意，对召公说："有人在背后骂我怨我，现在

我采取了一种最好的办法，把这个问题解决了，谁也不敢再放肆了。"召公说："不是民众不骂不怨了，而是您不让人说话。堵人的嘴，比堵水的出口还要糟。会治水的人一定采用疏导的方法，让水有个畅通无阻的水道；会管理国家的人，一定要让人发表意见。"对于召公的劝告，厉王根本不理睬，仍然残暴地堵塞言路。民众忍无可忍，心中的怒火再也压抑不住了，终于有一天，像火山一样喷发出来。他们手持棍棒，从四面八方冲向王宫。厉王只得在手下人的护卫下从北边的小门逃走了。

■ 西周·𫓧簋

史记故事中的大启发

褒姒一笑败国

周厉王死后，太子继位称为宣王。宣王逝世后，儿子幽王继承王位。

有一天周幽王上朝，听说褒国很久没有来献礼了，就派军队去讨伐。褒国是个小国，官员们听到幽王派兵来征讨，非常惊慌，急忙想办法。大家知道幽王非常喜欢美女，就派人到民间去寻找，发现一个山村里有个叫褒姒的女子

长得眉清目秀，唇红齿白，很招人喜欢，于是就把她献给了幽王。幽王得到了美女，就把兵撤了。

幽王把褒姒带入别宫，每日和褒姒饮酒取乐，不管国家大事。

不久，褒姒为幽王生了个儿子，起名叫伯服，幽王非常喜爱。后来，幽王废除了申后和宜臼太子，立褒姒为皇后、伯服为太子。

褒姒受到幽王的宠爱，但从来没有笑过。幽王说："你这么美丽的容貌，要再笑一笑，就更娇艳

史记故事中的大启发

答案 ■ 传递军情报警。

■ 骊山烽火台遗址

无比了。"幽王千方百计讨褒姒的欢心，让她笑，可不管怎么做她就是不笑。

一天，天气晴朗，幽王带褒姒到骊山去游玩。他们登上一座高楼，一面饮酒，一面闲聊，观赏山上山下美丽的景色。忽然，褒姒指着山上一座台墩一样的建筑问："那是什么？"幽王说："那是烽燧。"接着又补充说，"烽燧是用狼粪掺杂容易燃烧的东西筑成的圆柱，如果遇到敌人来侵犯，就把它点燃，狼粪的浓烟直冲云霄。附近诸侯看见狼烟，就会马上发兵前来救援。"幽王为了讨褒姒的欢心，要试一试给她看，于是传令把山上的烽燧都点燃起来。附近的诸侯看见了狼烟，满头大汗连忙带兵奔来。诸侯们赶到这儿一

看，什么情况也没有，只有幽王和褒姒在高楼上饮酒玩乐。褒姒看见诸侯们跑得满头大汗，一副狼狈相，大笑起来。

幽王看到这个做法能让褒姒大笑，非常高兴，所以就接二连三地点燃烽火。诸侯们一再上当受骗，再也不信任幽王了。

太子被废除后逃到了申国，申侯非常愤怒，于是就联合外族来进攻幽王。幽王点燃烽火，向诸侯求救，可是诸侯没有一个带兵来，幽王被杀死在骊山脚下，褒姒被俘虏。四方诸侯听从申侯的提议，立幽王的太子宜臼为王，史称周平王，由他来继承周朝的事业。

史记故事中的大启发

■ 西周·龙纹璧

微子选择了逃亡

史记故事中的大启发

微子启，是纣王同父异母的哥哥。纣登位之后，昏庸无能，荒淫奢侈，暴虐成性，政治混乱，微子几次提意见，纣王都不听。微子看到这种情况，灰心了。他估计纣王至死也不会听从劝告，不如离开纣王远远的。犹豫不定之际，就去问太师、少师，他很苦恼地说："殷朝政治不清明，无法管理好国家，我们的祖先建立的功业，就要败坏在纣王的手里。纣王的家族宗亲，无论大小，都喜欢干抢劫、偷盗的事情，官员们也争着效仿，违法乱纪，人心险恶，所以他们也无法教导百姓。百姓们也互相争斗，互相为仇敌。现在殷朝的国家制度已经破坏得差不多了！殷朝快要灭亡了！"微子接着又问："太师、少师，你们说，我是应该远走高飞呢，还是留下来挽救国家？"

太师想了想，这样回答微子："王子，如果我们能使一个混乱的国家得到治理，让天下太平，百姓过上好日子，那么即使我们自己死了也值得，也没有什么遗恨的。但是，如果付出了生命的代价，国家还是得不到治理，那倒不如离去。"

少师说："父子之间，有骨肉亲情；君臣之间，凭着道德、正义相结合。所以父亲有了过错，子女进行劝告，多次劝告之后，仍然不听，子女也不能离开，只会悲痛万分，痛哭不已。君王有了过错，大臣可以劝谏，多次劝谏，君王毫不

■ 微子墓

听从，那么从道义上说，大臣就可以离去了。"微子听了太师和少师的话，又加上自己的认识，就出国逃亡了。

周武王攻打纣王，灭了殷朝。微子带着殷朝的祭器来和周武王见面，自己露着臂膀，捆绑着双手，让手下人牵着羊，拿着茅草，跪着行走，来到周武王面前，请求武王宽恕。周武王看到他特别诚恳，就俯下身去，亲自给他解开捆绑的绳子，扶他站起来，当场就恢复了他原来的爵位。

小错误引来大祸患

被周公旦流放的蔡叔度死了。他有个儿子叫做胡。胡和他父亲不同,做事为民,施行善道。周公听说这种情况,就推荐胡出任鲁国的卿士,结果他把鲁国治理得很好。于是周公就又向成王提出建议,把胡封在蔡,让他供奉蔡叔的香火,这就是蔡仲。

几代过去了,到了蔡哀侯时期,哀侯娶了陈国的女子为妻,息侯也娶了陈国的女子为妻。息侯的妻子出嫁时,路过蔡国,蔡国的大臣们对待她很不礼貌,还故意刁难她,让她下不来台。息侯听说以后,怒气冲天,想使个策略,治治哀侯,于是立刻找到楚文王说:"你来攻打我国吧!你来打,我就向蔡国求救,蔡国肯定会来援救,然后楚军就可以趁机攻打他,您肯定能取得胜利。"楚文王听了以后,思考一下,点点头,采纳了息侯的建议,随后就出兵攻打息侯的军队。息侯马上向蔡国求援,蔡哀侯不知道这里的内情,立即答应了息侯,命令军队与楚军打了起来。没打几个回合,蔡军就被打得大败,蔡哀侯还被俘虏了。蔡哀侯被抓到楚国,拘留了九年,最后死在了楚国。蔡哀侯去世后,蔡国的大臣就立他的儿子继位,这就是穆侯。

穆侯把他妹妹嫁给了齐桓公。有一年,齐桓公和蔡夫人去划船游玩。二人在船上闹着玩,夫人摇晃船只,桓公很害怕,马上阻止夫人,夫人不听,还继续摇晃。齐桓公非常生气,就派人把蔡夫人赶回了蔡国,但没有断绝夫妻关系。穆侯看到妹妹被赶回来了,也很生气,一气之下,把妹妹又嫁给了别人。齐桓公知道以后,大发雷霆,于是就出兵讨伐蔡国,打败了蔡国的军队,还俘虏了穆侯。

史记故事中的大启发

季札不要君位

■ 季札画像

史记故事中的大启发

吴王寿梦有四个儿子，长子叫诸樊，次子叫馀祭，三子叫馀昧，四子叫季札。这四人中，季札才华出众，品德高尚，父亲和兄弟都喜欢他，寿梦想让他继位，但是季札谦让推辞，寿梦只好让长子诸樊继位，掌握国家权力。

寿梦去世，诸樊要让位给季札，季札不接受，说："你是长子，应该由你继位。当国君，并不是我的志向。"吴国的一些大臣也坚持要季札继位，季札没有办法，就离开王宫，去乡下种地。

吴王诸樊去世，留下遗嘱要传位给弟弟馀祭。这样兄弟们按次序把王位传下去，最后把君位传给季札，完成父王寿梦的心愿。

馀祭继位后，季札担任吴国的一些外交工作。为了改变吴国的落后面貌，季札决定到中原各先进国家进行访问和考察。他首先到了鲁国，接着到齐、郑、卫、晋等国访问。访问的过程中，他表现出了高度的文化素养和政治家的风度，得到了一些著名政治家的尊重。

季札出国的时候，在北上途中曾经拜访过徐君。徐君特别喜欢季札的宝剑，但又不好意思说

■ 吴的战利品——青铜盉

出来。季札心里知道他的想法，但因为要带着宝剑出访中原各国，所以就没把宝剑献给他。出使完毕，返回时又来到徐国，可是徐君已经去世了，季札于是把宝剑解下

挂在了徐君墓旁边的树上，然后离去。跟随季札的人问道："徐君已经死了，何必还把宝剑挂在这里呢？"季札说："你这么说就不对了。当初，我心里已经同意给他，难道能因为他死了，就违背当初的心愿吗？"

吴王馀祭去世，三弟馀昧继位。馀昧去世前，想传位给弟弟季札。季札还是推辞，不要这个君位，然后又逃走了。

季札不继位，馀昧就把王位传给了他的儿子僚。公子光是吴王诸樊的儿子。他认为：既然季札不愿意当国王，那么继承王位的应当是他。于是他就在宴会上，让勇士专诸从熟鱼肚子里抽出匕首，杀掉了吴王僚，他自立为王，这就是吴王阖庐。后来他假惺惺地要把君位让给季札，季札仍然拒绝。

■ 吴王太子诸樊的铜剑

■ 季札墓

史记故事中的大启发

管仲德才出众

史记故事中的大启发

　　管仲名夷吾,颍上人。他善良而且才能出众。他的好朋友鲍叔牙把他推荐给齐桓公,受到了齐桓公的重用,被任命为大夫,主持国家政治大事。齐桓公称霸,统治天下,多次会合诸侯,都是靠管仲出谋划策。

　　管仲做了齐国的丞相以后,利用齐国处在东海之滨的有利条件,大力发展交通运输业,还做买卖挣钱积累财富,使小小的齐国很快富裕起来,军事力量也得到增强,人民信心十足,积极发展生产,安居乐业。

　　管仲一向认为:"国家富裕强盛,人民才会懂得礼节;丰衣足食了,人民才会有荣誉感。只有高层领导人遵纪守法,上下左右才会团结一致,各项法律、法规才能贯彻执行。如果人民不知道礼义廉耻,那么国家就会灭亡。向人民发布政策、法令,要合乎人性,符合

■ 管仲画像

民心,只有这样才能实行下去。民众需要什么,就应该考虑满足他们,民众不需要什么,就应该废除,尽可能不去做。"

　　管仲管理国家事务,善于根据轻重缓急,周密地考虑利害得失,把事务处理得很圆满。有一次,山戎族侵犯燕国,齐桓公去援救,打败了山戎,保卫了燕国,还把山戎占据的地区交还给燕国。燕庄公非常感激,就在齐桓公回国时,一送再送,不知不觉进入了齐国的境内。齐桓公说:"按规矩,除非天子,诸侯相送是不能出自己国境的,我不能破坏这个规矩。"于是,把燕庄公所到的齐国国境的地方全部划给燕国。中原诸侯听到齐桓公救燕不但没要一寸土地,反而还送给燕国几十里地方,就更害怕齐国的军威了,更敬仰齐桓公的仁德了。这一举动,完全是管仲策划的。

　　管仲为齐国的强盛,立下了汗马功劳,功勋卓著。

名相管仲

流亡在莒国的公子小白与流亡在鲁国的公子纠，都急于回齐

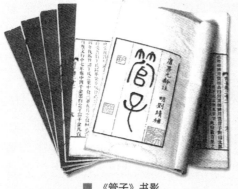

■ 《管子》书影

国争夺君位。公子纠的谋士管仲认为，莒国离齐国都城近，如果小白先到，争夺君位就没有希望了。于是管仲带了一支精兵，快马赶到莒国去齐国的必经之路拦截小白。时间不长，有一队车马过来。管仲估计是小白，赶紧上前见面，趁小白没有防备的时候，朝小白射去一箭。小白"哎呀"一声，倒在车上。管仲觉得

事情成功了，骑上马回去了。其实，这一箭恰巧射在小白的带钩上。小白知道管仲的箭法很准，当时他将计就计，应声倒下，等管仲走后，马上从小路疾驰，直奔齐国都城。

小白捷足先登，即位成了齐桓公。随后就任命鲍叔牙为统帅，向鲁国进发。鲁国形势危急，鲁庄公只好按照齐国提出的要求，杀了公子纠向齐桓公赔罪。齐桓公通知鲁国，让他们把管仲活着送回齐国。鲁国大臣施伯告诫庄公说："齐国要得到管仲，并不是想杀他，而是想用他，一旦他被重

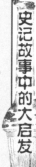

史记故事中的大启发

史记故事中的大启发

■ 曹沫挟齐桓公画像石

姓进行教育；发现德才兼备的人，就选拔录用。

管仲处理危急的事务，善于应变。有一次，鲁庄公带着曹沫跟齐桓公会见，曹沫突然掏出暗藏的匕首劫持了齐桓公，要求归还被齐国侵占的土地。管仲忙向桓公示意，答应曹沫的要求。齐桓公脱险后就后悔了，不仅不想把土地退还鲁国，还想杀了曹沫。管仲劝阻了桓公，把土地归还了鲁国，齐国赢得了天下诸侯的信任。

用，就是鲁国的祸患。还是杀了他好，然后把他的尸体送给齐国。"庄公不听，还是把管仲抓了起来，送给了齐国。

齐桓公本来要报一箭之仇，但听鲍叔牙说建立霸业，非有管仲的辅佐不可，于是就把杀掉管仲的想法打消了，决定起用管仲，任命他为大夫，主持国家的管理工作。以后管仲又有了号令百官、掌握财政、处置贵族的三大特权。于是他就积极改革国内政治，加强国防，鼓励贸易，发展生产。他体察民情，重视救急扶贫；把"礼、义、廉、耻"作为重要内容，对百

胡乱杀人

卫宣公最宠爱夫人夷姜，夷姜生了儿子，宣公就把他立为太子，让右公子教他读书识字，教导他。右公子很关心太子，替太子娶来一个齐国女子，还没等结婚成亲，宣公看见了这个将要成为儿媳的齐国女子，觉得她实在长得太漂亮了，非常喜欢，就自己把齐国女子娶了过来，然后替太子娶了别的女子。宣公得到齐国女子后，生了两个儿子，一个叫子寿，一个叫子朔，派左公子教他们读书识字，教育他们。

■ 春秋·兽面纹玉琮

太子的母亲去世以后，宣公的正夫人和儿子朔，两个人一起向宣公说太子的坏话，陷害太子。宣公几年前夺了太子的妻子，心里一直不踏实，怕太子杀了他，或者把妻子抢过去，所以就一直防范着太子，总想废掉他。现在听到污蔑太子的坏话，正好有了除掉太子的机会，于是就伪装大发脾气，派太子出使齐国，同时暗中命令杀手在国界边境上拦截太子，杀掉他。太子临走时，宣公送给他一面带有白旄标志的旗子，随后，宣公又偷偷地告诉在边界上准备杀害太子的杀手，只要看见手拿带有白旄标志旗子的人，就立刻杀掉他。

子寿是太子异母的弟弟，知道亲弟弟子朔陷害太子，而且宣公还要谋害太子，于是他就找到

■ 春秋·提梁虎形铜灶

史记故事中的大启发

37

史记故事中的大启发

太子，劝阻他说："有人在边界等着杀你，只要一看见你的白旄旗，就会杀你。太子可千万不要去啊！"太子不听，回答说："这是违抗父亲的命令，贪生怕死，不能这样做。"说完还是坚持到齐国去。子寿一看太子不听劝告，就偷偷地拿了他的白旄旗，立刻骑马飞奔，抢先赶到了边界。边界上的杀手看见有手持白旄旗的人到来了，立即向来的人射箭，原来射中的是子寿。子寿刚刚断气，太子也

赶到了，对杀手大喊道："该杀的是我呀！你们怎么胡乱杀人！"盗贼一看该杀的没杀，不该杀的杀了，于是又杀掉了太子，然后向宣公汇报。宣王知道情况以后，立刻立子朔为太子。

宣公去世以后，子朔继位，这就是惠公。左、右公子对没有好心的子朔继位，心里非常气愤。四年后，两个人发动军队，打败了惠公，立太子的弟弟黔牟为国君，惠公逃到了齐国。

答案 ■ 子寿，是太子同父异母的弟弟。

骊姬谋害太子

献公五年，晋国讨伐骊戎，俘虏了骊姬和她的妹妹，两个人都受到献公的宠爱。

后来，骊姬生了儿子奚齐。献公喜欢奚齐，就想要废掉太子，背地里对骊姬说："我准备废掉太子，让奚齐取代他。"骊姬哭着说："太子的确立，各位诸侯都已经知道了。再说，太子多次率军打仗，百姓都投靠他，你怎么能因为我而废太子立奚齐呢？如果你非要这样做，我就自杀！"她嘴上虽然

这么说，实际上她心里早就想立自己生的儿子奚齐为太子，将来好继位。

不久，骊姬骗太子说："君王做梦，梦见了齐姜，你赶快到曲沃齐姜庙去祭祀，然后把祭肉带回来，送给君王。"太子听了以后，马上跑到曲沃去祭祀他的母亲齐姜，然后把祭肉带回来，送给献公。当时献公没在宫里，正在外边打猎，所以太子就把祭肉放在了宫里。骊姬趁这个时机在祭肉里放了毒药。两天以后，献公打猎回来，厨师把祭肉送给献公，献公正准备吃，骊姬赶来，赶紧制止说："祭肉从远处拿来，应该先验验再吃。"厨师把祭肉放在地上，地面鼓起了包；把祭肉给狗吃，狗立刻死去；给小宦官吃，小宦官马上倒地身亡。

史记故事中的大启发

大家一见这情景，都惊呆了。骊姬哭泣着说："太子怎么这么残忍！怎么忍心这样做！连自己的亲生父亲都想害死，何况其他人呢？君王年纪已经老了，活不了多久，可太子竟然等不及了，要马上杀死他！"接着又对献公说："太子这样做，肯定是因为我和奚齐。我们母子俩愿意躲到别的国家去，或者干脆自杀算了，免得白白被太子残杀。当初君王想废掉太子，我还觉得不合适，现在我才发现自己完全错了。"

■ 春秋·建鼓座

太子听说这件事以后，很害怕，立刻逃到新城躲起来。献公没找到太子，就派人杀了太子的师傅。有人劝太子说："放毒药的是骊姬，您为什么不去解释清楚呢？"太子回答说："我父王年纪大了，如果没有骊姬，就会睡不安，吃不下。如果我解释清楚了，骊姬肯定会让父王感到伤心，所以我不能这样做。"有人给太子出主意说："那您就逃到别的国家去吧！"太子悲伤地回答说："唉，背着这种罪名出逃，谁还敢收留我？自杀算了。"时间不长，太子申生就在新城自杀了。

■ 春秋·彩绘竹排箫

答案 ■ 骊姬。

晋惠公恩将仇报

晋惠公四年，晋国发生严重的饥荒，要向秦国购买粮食。秦穆公向大臣百里奚征求意见，百里奚说："天灾饥荒，是每个国家都很难避免的，所以国家之间互相救济，是很正常的，是应该去做的，卖给他们吧！"邳郑的儿子邳豹则说："趁机讨伐它！"秦穆公说："国君有错，可是百姓没罪啊！"于是就卖给了晋国很多粮食。

一年以后，秦国也发生了严重的饥荒，于是向晋国请求购买粮食。晋国君王跟大臣们商量怎么办。大臣庆郑说："您是靠秦国当上君王的，可是您刚当上不久，就违背了割给秦国土地的诺言。去年，我们遇到饥荒，秦国不仅没向我们要土地，还把粮食卖给了我们。现在他们闹饥荒，我们也应该把粮食卖给他们，这还用商量吗？"可是大臣虢射却不同意，他说："去年，是上天把我们赐给了秦国，可是秦国却不知道抓住时机灭我们，反而还把粮食卖给我们。今年上天又把秦国赐给了晋国，我们不能像他们那样，我们不能违背天意，应该趁这个时机攻打他们。"惠公听了两方面不同的意见以后，采纳了虢射的主张，不

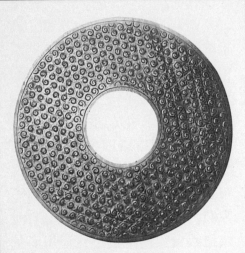

■ 春秋·谷纹大玉璧

但不卖给秦国粮食，还发兵去攻打秦国。秦穆公非常愤怒，也出兵攻打晋国。

秦穆公亲自率军出征，打到了晋国国内。晋惠公害怕了，慌了，问大臣庆郑："秦国军队已经打到国内来啦，怎么办呀?"庆郑怨愤地说："想当初，秦国把您护

送到国内，让您当了君王，可是您违背了诺言，我们闹饥荒，秦国救济我们，可是秦国陷入了饥荒，我们却恩将仇报，趁机进攻秦国。现在他们打到国内来了，这不是理所当然的吗!"惠公无可奈何，亲自率军迎战。两军交战，秦穆公手下的队伍奋勇杀敌，晋军被打得落花流水，秦军俘虏了晋惠公，把他押回秦国。

秦国准备杀死晋惠公，用他来祭祀上苍。晋惠公的姐姐是秦穆公的夫人，她听说弟弟要被杀死祭天，就穿上丧服，来到丈夫面前伤心地痛哭流涕，央求穆公宽恕弟弟。秦穆公看到夫人伤心的样子，心疼夫人，于是就跟晋惠公订立了同盟条约，答应放他回国。

■ 春秋·云纹禁

史记故事中的大启发

答案 ■ 姐姐。

重耳不想回国

晋文公重耳，是晋献公的儿子。他从小就喜欢交朋友，当时的赵衰、狐偃咎犯（文公的舅舅）、贾佗、先轸、魏武子等等都是他的好朋友。献公二十一年，因为骊姬陷害，献公杀死了太子申生，骊姬又诬陷重耳是同谋，重耳很害怕，就逃往蒲城驻守。献公派宦官去蒲城刺杀重耳，重耳跳墙逃跑，宦官紧追不放，一剑砍去，砍断了他的衣袖。重耳就这样逃到了狄国。

重耳在狄国住了五年之后，晋献公去世，大臣里克派人来接重耳回国继位。重耳害怕招来杀身之祸，不敢回国即位。不久，他的弟弟夷吾即位，

■ 湛阪遗址（晋军曾在此击败楚军）

这就是晋惠公。惠公七年，惠公担心重耳抢自己皇位，就派宦官和刺客来消灭重耳。重耳听说这个消息以后，就准备去齐国，齐桓公正想找个有才能的人协助自己。

重耳到了齐国，齐桓公用厚礼相待，把宗室的女儿嫁给重耳，还送给他骏马20匹。重耳对这种生活很满意。重耳在齐国住了五年，而且因为宠爱齐女，没有回国即位的意思。赵衰、咎犯很失望，就在郊外的桑树林中商量劫持重耳回国的计策。没想到赵衰的计策被正在采桑叶的女仆听见了，回去报告了齐女。齐女怕赵衰的计划被泄露，就把女仆杀了。齐女回到房间，把这些情况告诉重耳，劝他早日离开齐国。重耳说："人

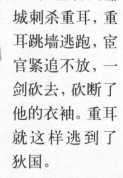

■ 春秋·鸟形铜杖

史记故事中的大启发

生一世，为的就是平安快乐，还有什么事情比这个更重要。我就是要老死在齐国，绝不离去。"齐女说："你是晋国的公子，没办法才来到这里。那么多有德才的人把身家性命都寄托在你身上。可是你呢，不赶快回国，报答劳苦的良臣，却留恋女色，我都为你感到羞愧。"但重耳还是不听。于是齐女和赵衰等想办法，设家宴灌醉了重耳，然后用车拉着他离

开了齐国。走了很远之后，重耳醒了，发现自己在马车上，明白了是怎么回事，发火了，举刀要杀咎犯。咎犯说："如果杀了我，能使你成功，那我狐偃咎犯就心满意足了！"重耳怒气冲冲地说："如果大事不成，我就吃舅舅你的肉。"咎犯笑着说："我的肉又腥又臊，怎么能吃呢！"重耳气得没办法，只得放下刀，跟着大家一块继续往前走。

晋文公知恩必报

重耳结束了19年的流亡生活，终于回到了晋国，这时他已经62岁了。晋国人欣赏他的德行，都愿意听从他。他即位为晋君，这就是晋文公。

晋文公五年，文公发兵围攻曹国，攻入了曹国都城。文公下令晋军，谁也不许骚扰厘负羁宗族的驻地，报答他当年的恩德（重耳流亡到曹国时，曾得到他给的食物和璧玉）。这时候楚军围攻宋国，宋国向晋国告急，请求援救。晋文公想去援助，但这样的话，就必然要攻打楚国，而楚国对文公也曾经有恩（重耳流亡到楚国时，楚成王用厚礼接待过他），所以文公不想跟楚国打仗；但又不能放下宋国不管，因为宋国也曾对文公有恩（重耳流亡经过宋国时，宋襄公用国君礼仪迎接他）。文公左右为难，犹豫不决。好朋友先轸出主意说："把曹伯抓起来，把曹国和卫国的土地分给宋国，这样一来，楚国就急着援救曹、卫两国，必定会解除对宋国的包围。"文公采取了先轸的做法，楚成王果然从宋国撤军回国了。楚军元帅子玉对楚成王躲避晋军很不满意，坚持要继续进攻晋国。楚成王没有办法，只答应给子玉少量部队。子玉率领军队逼近晋军时，派大夫宛春到晋国军营，对文公说：

■ 晋文公复国图卷

史记故事中的大启发

史记故事中的大启发

"你如果能恢复卫国、曹国,我们楚国就不再围攻宋国。"先轸看出了子玉的计谋,对文公说:"如果同意他的意见,曹、卫、宋三国都安定了,只会感激楚国的恩德;如果不同意,不但曹、卫国对我们仇恨加深,也放弃了宋国。"于是提出了将计就计的谋略。

晋文公于是就把宛春扣留起来,打发他的随从回去给子玉报信——答应了他的要求 恢复曹国和卫国。曹国和卫国听到这个消息,立刻宣告跟楚国断绝关系。楚国将领子玉知道这个情况之后,顿时火冒三丈,立刻率军攻打晋军,文公率领晋军主动后退。晋军将领问文公:"还没交战,为什么要后退?"文公说:"以前我在楚国流亡的时候,曾答应楚成王双方发生交战时,我退让90里,这种话能白说吗?"晋文公说话算数。

答案 ■ 赵盾。

饿汉救相国

晋灵公继位14年，已经进入成年，生活上骄横奢侈，大肆搜刮民财，兴建宫室。他还喜欢站在楼台上用弹弓射人，观看百姓抱头逃避，自己哈哈大笑。有一天，厨师炖的熊掌不够烂，灵公就大发雷霆，把他杀了，砍成几块，让妇女抬着尸体扔掉。妇女抬着尸体经过朝廷，赵盾（相国）和随会看到了，就去找灵公进行劝告，但灵公不听，可是又害怕他们，于是就派勇士去刺杀赵盾。勇士来到赵盾的门口，大门敞开着，里面的陈

■ 对凤纹漆耳杯

设非常简朴，相国正专心致志地考虑国事，勇士没有进去，非常感叹地说："要么杀死忠臣，要么违背君王的命令，都是罪过，不如一死倒干净。"于是在院子中一棵槐树下撞死。

有一次，赵盾到高山去打猎，看见一个男子躺在桑树下，赵盾走到他身旁问："你害了什么病？"这个男子说："我三天没吃东西了，饿成了这个样子。"赵盾拿出食物给他吃，他只吃了一半，把另一半包好藏起来。赵盾问他

史记故事中的大启发

47

史记故事中的大启发

为什么，他回答说："我在外三年了，一事无成，不知道老母亲是不是还活着，留下一半给老母亲带回去。"赵盾赞赏他的孝心，又让随从拿出一些肉和干粮给他。不久以后，这个人做了晋灵公的厨师，赵盾不知道。九月的一天，晋灵公请赵盾喝酒，在堂下埋伏好士兵，准备攻杀赵盾。灵公的厨师知道了这件事，担心赵盾喝醉了不能动手反击，于是就上前劝说："君王设宴招待大臣，只干三杯就可以了，礼节就已经尽到了，你应

该走啦！"暗示赵盾赶快离开。

赵盾领悟到了问题的严重性，匆忙离开了，灵公的伏兵没来得及下手。于是灵公放出一条巨大的恶狗去咬赵盾，厨师眼快手灵，一个箭步蹿上去，双手掐住了狗的脖子，杀掉了恶狗。灵公恼羞成怒，指挥伏兵去追杀赵盾，厨师飞奔上前，迎击灵公的伏兵，伏兵没有办法前进，赵盾终于脱险。赵盾问厨师为什么救他，厨师回答说："我就是桑树下的饿汉。"赵盾问他的姓名，他没有说。

楚庄王问鼎

■ 《楚帛书》

楚庄王即位三年，从来不过问朝廷事务，日夜沉浸在享乐之中，还下令全国："有胆敢提意见的，一律杀死！"大夫伍举看到朝廷这样腐败，就冒死进宫见庄王。只见庄王左手抱着郑姬，右手搂着越女，正坐在乐队中间。庄王问伍举："你是来喝酒，还是听音乐？"伍举说："都不是。有件事我不明白，特来请教。"接着问道："山上有只美丽的大鸟，整整三年不飞也不叫，这是什么鸟呀？"庄王回答说："三年不飞，一飞就能冲天，三年不鸣，一鸣就会惊人。你回去吧，我知道你是什么意思。"过了几个月，庄王不但没改，反而奢侈享乐更加严重。大夫苏从进宫提意见，庄王问："难道你没听到我的禁令吗？"苏从回答："牺牲自己，如果能使国君清明，那是我求之不得的。"

于是庄王停止听歌看舞的享乐，来到朝廷听汇报，决定国家大事。随后，把贪赃枉法、违法乱纪的几百名官员处死，把忠于职守、清正廉明的几百人提拔重用，任

史记故事中的大启发

49

命伍举、苏从两位忠臣主持政府事务,全国人心振奋。楚国就在这一年灭了庸国。庄王六年楚国又发兵攻打宋国,缴获战车500辆。

■ 春秋·龙形玉佩

庄王八年,楚国攻打陆浑戎族,路过洛阳,就在洛阳郊外向周定王阅兵示威。周定王被迫派大夫王孙满出城,慰劳庄王。庄王问王孙满:"听说大禹所铸的九鼎,夏、商、周三代相传,现在在洛阳。不知鼎的大小和轻重怎么样?"王孙满回答说:"三代相传的是德行,不是宝鼎。"楚王说:"你不要以为有了九鼎就了不起,楚国只要把兵器上的钩尖折断收集起来,就足够铸九鼎了。"王孙满看出楚王有夺取周王朝天下的意思,就说:"夏桀昏庸无道,九鼎才转移到了商朝,放了600年;后来,殷纣王暴虐无道,九鼎于是又转移到周朝。如果君王有德,鼎虽小,也一定重得搬不动;如果君主无德,那么九鼎再大,也一定轻得可以搬动。从前,成王在安置九鼎时,占卜说可以传国30代,历时700年,这是上天的命令啊!现在周王朝虽然道德衰微,但天命还没有改变,所以鼎的轻重,还问不得啊!"楚王听了这话,沉默无语,随后撤兵回国了。

■ 楚长城遗址

史记故事中的大启发

答案 ■ 楚国人。

优孟葬马

优孟本来是楚国的艺人，身高八尺，辩论的能力很强，经常用说说笑笑的方法婉转地向皇上提建议。

楚庄王有一匹好马，楚庄王非常喜欢它，经常给它穿上绫罗绸缎，让它住在华丽的宫殿里，专门给它准备一张床让它躺着，用枣脯喂养它。马因为喂养得太肥，生病死了。楚庄王非常伤心，命令大臣们为马治丧，准备用棺材把马装进去，按大夫的葬礼来安葬它。朝廷的大臣们认为不应该这样做，都争着劝阻庄王。庄王愤怒，下达命令："如果再有胆敢为葬马的事来提意见的，立刻处死。"

优孟听说了，就走进宫殿大门，仰天大哭，一把鼻涕一把泪的。庄王很吃惊，问他为什么哭得这么厉害，优孟抽泣着回答说："宝马是大王最心爱的，应该厚

■ 战国·玉马

葬，堂堂楚国，国富民强，有什么办不到的事呢？大王只用大夫的葬礼安葬它，礼太轻了。我建议按王君的葬礼安葬它。"

庄王忙问："那该怎么办呢？"优孟回答："用雕有花纹的玉石做棺材，用最上等的梓木做外棺，拿枫木、樟木等贵重木材做装饰，再派几千名士兵挖掘墓穴，派老人和孩子背土筑坟，让齐国和赵国的外交人员在棺前祭奠，让韩国和魏国的外交人员在棺材后护卫。安葬完毕之后，再

■ 战国·长方形铁炉

史记故事中的大启发

为它建立庙，用猪、牛、羊各1000头祭祀它，用万户租税供应祭祀的费用。诸侯各国如果听说了大王这样厚待马匹，都会知道大王把人看得很低贱，却把马看得很重。"

庄王吃了一惊，说："哎呀，我怎么竟然错到了这种严重的地步！现在该怎么办呢？"优孟说："请让我把它作为牲畜来埋葬吧：

用土灶为外棺，用铜锅作棺材，用姜和枣为调料，再加进木兰除去腥味，用稻草作祭品，火光作衣服，把它埋葬在人们的肠胃里。"

庄王同意，于是就派人把马交给主管膳食的官员，让他们按照优孟说的去做。并且告诉大臣们，让他们不要宣扬庄王原先的打算。优孟劝说人的方法受到大臣们的称赞。

答案 ■ 姑父。

赵氏孤儿脱险

晋景公的时候，相国赵盾去世，由儿子赵朔继承爵位。赵朔娶了晋成公的姐姐做夫人，成了晋景公的姑父。

晋景公三年，大夫屠岸贾利用担任司寇这一重要职务，想锄掉赵氏家族。

屠岸贾没有请示国君景公，就擅自带着亲信武将，到下宫攻打赵家，杀死了赵朔、赵同、赵括、赵婴齐，并灭了他们整个家族。

赵朔的妻子有身孕，她急忙逃到景公的宫中，藏了起来。赵朔有个帮工叫公孙杵臼，他问赵朔的朋友程婴："你为什么没有死？"程婴答："他一家都被杀光了，如果幸运生个男孩，我要抚养

他；如果是女孩，我就慢慢老去吧。"没有多久，赵朔的妻子生了个男孩。屠岸贾听到这个消息，急忙赶到宫中搜查。赵朔夫人急中生智，赶忙把婴儿藏在裤裆里，暗暗地祷告说："如果赵氏家庭应该灭绝的话，你就哭，如果不该灭绝，就别出声。"等到搜查时，婴儿竟然没有出声。

脱险以后，程婴问公孙杵臼："这次没有搜到，他们以后肯定还会再来，怎么办？"

公孙杵臼问："抚养孤儿，让他日后继承祖业，与死相比，哪个更难？"

程婴说："死容易，抚养孤儿太难啦！"

■ 春秋·曾侯乙编钟

史记故事中的大启发

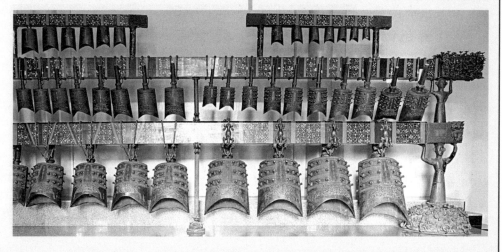

史记故事中的大启发

■ 春秋·莽子盏

公孙杵臼说："赵朔对你有恩，你就承担难的吧！我做容易的，让我先死。"

于是二人想方设法找来另外一个婴儿，给他包上漂亮的被褥藏到郊外山里。然后，程婴从山里出来，故意对屠岸贾手下的将军说："我没有能力，不能抚养赵氏孤儿。谁给我千金，我就告诉他赵氏孤儿藏在什么地方。"这些将军正愁找不到赵氏孤儿，就答应了他，然后带上人马，跟随程婴进山捕捉公孙杵臼。

公孙杵臼伪装怨恨地说："程婴，你这个无耻的小人！你我一块藏匿赵氏孤儿，如今你却出卖我！你即使不愿意和我共同抚养他，你可以不管，你怎么忍心出卖他呢？"说完，杵臼抱着婴儿大哭道："天呀！天呀！赵氏孤儿有什么罪过！我求你们不要杀他，只杀我好了。"将军们不答应，还是杀了杵臼和孤儿。屠岸贾和将军们以为赵氏孤儿真的已经除掉，都很高兴。实际上，真正的赵氏孤儿还活着，程婴带着他一起躲到了深山里。

■ 京剧《赵氏孤儿》剧照

儿子作乱，老子饿死

惠文王登位后，其父武灵王开始自称主父。

相国肥义和大臣李兑知道公子章和田不礼有野心，阴谋叛乱。肥义做好了保护国君的准备，并嘱咐信期说："现在我很忧虑这样的事情发生，我们不得不防备。从今以后，如果有召请国君的，一定先要见我的面，我先去探听虚实，如果没有什么问题，君王才能进来。"信期说："你的话我都记住了。"

惠文王四年，主父召见各位大臣，公子章也来朝见主父。主父让惠文王处理国家大事，自己在旁边观察大臣和宗室贵族的行为表现。主父注意到，公子章对弟弟继位不服，所以垂头丧气。主父心里可怜他，就想从赵国割一块地给他，封他为代地王。当时，因为别的事，这个计划没定下来。

主父和惠文王去游览沙丘，住在不同的宫室里。趁这个机会，公子章率领手下人和田不礼发动叛乱，伪传主父的命令，召见惠文

王，准备杀掉他。老臣肥义先进去探听情况，不料被杀害。于是公子章的阴谋暴露，高信和惠文王一起对公子章开战。公子成和李兑赶来，调动军队镇压。公子章被打败，逃到主父那里，主父收留了他。公子成、李兑因此包围了主父的宫室，杀死了公子章和田不礼。公子成和李兑商量说："我们为了杀掉公子章，所以包围了主父。现在不好办了，如果解除包围，放主父出来，我们这些人就有被灭全族的危险。"于是就继续包围主父的宫室，命令宫中的人"后出来的灭族"，宫中的人于是都走了出来。主父想出来，但得不到允许，三个多月以后，饿死在沙丘宫里。

史记故事中的大启发

十七座城之祸

赵国孝成王四年，韩国上党郡守冯亭派使臣来到赵国，对孝成王说："韩国没有能力保住上党地区，要割让给秦国。可是那里的平民都愿意归属赵国，不喜欢秦国。上党地区还有城镇17座，愿意划归赵国所有，请赵王拿主意，满足上党平民的愿望。"

孝成王一听就非常高兴，马上召见平阳君赵豹，告诉他这个好消息："冯亭要献给我们17座城镇，接受它好不好？"赵豹回答："无缘无故就得到这么大的好处，这里边必有祸患。"

孝成王反驳说："上党的老百姓都怀念我的恩德，怎么是无缘无故呢？"赵豹回答说："秦国付出了军力人力，得到了上党，而赵国要坐享其成，这怎么可能呢？就是强大的国家也不可能从弱小的国家占到便宜，难道弱小的国家能从强大的国家那里得到便宜吗？上党一定不能要！"孝成王还是不甘心："冯亭把17座城白白送给我国，这可是个大便宜啊！"

等赵豹出去之后，孝成王召见平原君和赵禹，告诉他们这件事。他们的看法和孝成王相同，于是孝成王就派赵胜去接受上党土地。

赵胜到了韩国上党，告诉冯亭："我来传达我国国君的命令，

封给太守三个万户的城镇，封给各位县令三个千户的城镇，可以世代为列侯，官吏百姓也一概加封三级，官吏百姓能平安相处的，赏赐黄金6斤。"冯亭流着泪，接受了命令，于是赵国派军队攻占了上党。

七月，廉颇被免去大将职务，由赵括代替。时间不久，秦国大将白起率领军队围攻长平。赵括在战斗中牺牲，全军投降，40多万投降的士兵被活埋。孝成王后悔当初没有听从赵豹的意见，所以才引来长平之祸。

答案 ■ 上党地区。

如耳挑拨离间

魏哀王八年，魏国出兵讨伐卫国，占领了两座城。卫君非常忧虑。这时候，如耳拜见卫君说："请让我去说服魏国撤军，并把成陵君撤职，好不好？"卫君说："先生如果真的能够做到，我们卫国愿意世世代代侍奉先生。"

于是如耳就去会见成陵君。如耳说："从前，魏国讨伐赵国，本打算把赵国一分为二。后来因为魏国发善心，所以赵国没有被灭亡。现在，卫国肯定不甘心灭亡，一定会请求秦国的救援，秦国肯定能得到便宜，与其这样，不如让魏国从卫国撤兵。这样，不仅魏国得到了好处，而且卫国肯定会永远对魏国感恩戴德。"

从成陵君那里出来，如耳又马上去会见魏哀王，对哀王说："我刚见过卫君，他原是周室的分支，很高傲自大，卫国虽然是个小国，但宝物很多。现在

尽管卫国处于危难之中，但仍不肯献出宝物。这是因为卫君觉得，进攻与否，并不是由您决定，所以，恐怕献出宝物，也不会落到您的手里。我想，最先建议放过卫国和卫君的人，一定是接受了卫国的贿赂。"如耳说完，与魏王告别，刚出去，成陵君就进来拜见魏王，照如耳跟他说的话，又跟魏王说了一遍，建议魏王撤军。魏王听完他的话，停止了对卫国军队的包围。由于魏王听了如耳编的瞎话，真的以为成陵君接受了贿赂，所以魏王罢免了成陵君的职务，终身不再见他。

■ 曾侯乙墓出土的金盏

史记故事中的大启发

立谁为太子

韩襄王十二年，太子婴去世。公子咎和公子虮虱都想当太子。当时，虮虱在楚国做人质，不在国内。苏代先生给公子咎出谋划策说："现在楚国在方城以北驻扎了10多万重兵，你可以趁机建议楚王进攻雍氏。这样，韩国肯定会出兵援救雍氏，那么襄王肯定派你做领兵的统帅，这时，你就有机会接纳虮虱回国。这样一来，虮虱肯定会服从你，听你的话。"公子咎采纳了他的计策，并按照计策去做。

■ 《甘石星经》

■ 《龙凤人物图》

公子咎建议楚王攻打雍氏，楚军果然包围了雍氏，于是韩国就向秦国求援，救助雍氏。但是秦国没有向韩国派出援兵，而是偷偷地派出公孙昧到韩国，韩国并不知道公孙昧是秦国派来的。韩国丞相公仲侈问公孙昧："秦国为什么不向韩国派援兵？"

公孙昧回答："秦国竟使用鹬蚌相争、渔人得利的手段，现在他表面上说支持韩国，实际上暗中与楚国友好。如果你认为秦国会派兵来增援你，你就会轻易地与楚军交战。而楚军呢，他早就知道秦国不会出兵为韩国卖命，所以

史记故事中的大启发

■ 战国·镶绿松石铜牛

就放心大胆地与你大战。如果你胜利了，秦军作为你的支持者，就可以到三川地区耀武扬威，而后作为胜利者满载而归。如果你没有战胜楚军，楚军就可以坚守三川，对秦国也没什么损害。这两种情况，都对韩国不利，我真的很为韩国担忧啊！"

公仲侈听了，惊慌地问："那可怎么办啊？"

公孙昧回答："韩国为了避免危险，首先要考虑依靠自己的力量，自力更生。

你最好赶快与齐国和楚国联合，这样事情就好办了。"

公仲侈接受了公孙昧的建议，韩国分别与齐国、楚国结成了联盟。楚国成了韩国的盟国，自然就解除了对雍氏的包围。韩国也不用再请求秦国出兵了。

公子咎的计策落空了。但最后，由于多方面的原因，公子虮虱没能返回韩国，韩国于是立公子咎为太子。

史记故事中的大启发

晏子赎回越石父

史记故事中的大启发

晏子，名婴，是莱地人。他在齐灵公、齐庄公、齐景公三朝，都曾担任相国这个重要职务。

晏子在生活上，非常俭朴节约，他的妻妾从来不穿丝绸衣裳。在工作上，他以国家利益为己任，废寝忘食，受到齐国人的敬重。国君问他事情，他都认真回答；没对他说的事情，他从不打听。因为这些方面的突出表现，他连续三朝都名震诸侯。

当时，齐国有个叫越石父的人，品行端正，才华出众。有一次他受了冤枉，被官府捆了起来，要

■ 晏子见齐景公画像

送到监狱里去。晏子外出时，正好在路上遇见他。晏子问明情况，看他不像坏人，就用自己车子左边的马，把越石父赎了出来，然后让他上车，把他带到自己家里。回家以后，晏子有事，没有向越石父打招呼，就走开了。过了一会儿，越石父找到晏子，请求离去。晏子感

60

答案 ■ 齐国。

■ 晏子画像

到很惊讶，赶紧整理好衣帽，道歉说：“我晏婴虽然还不够仁慈，但是也把您从困境中救了出来，您为什么这么快就要走呢？”

越石父说：“我听说，君子如果没有人了解自己，就会感到委屈；如果得到了解，就会觉得舒畅。我被捆绑要关押起来的时候，别人是不了解我的。先生赎回了我，是因为您了解我；了解我却不以礼相待，那我倒不如仍被抓起来。”晏子知道越石父恼理了，马上向他道歉，并把他当做贵宾对待。

晏子做了齐国的相国以后，有一次外出时，他车夫的妻子从门缝里偷偷观看她的丈夫。当时，她丈夫为相国驾车，顶着大车盖，鞭打着驾车的马，得意洋洋，自以为了不起。

车夫回家以后，他的妻子要求离开他。车夫很奇怪，就问她为什么，妻子说：“晏子身高不足6尺，却做了相国，名扬四方。刚才我看他外出，沉思深虑，对待人总是显出谦虚谨慎的样子。而你身高8尺，却给别人当车夫，而且还很自满。我讨厌你那个样子，所以要离开。”车夫听了这些话以后，做事处处谦虚谨慎，小心翼翼。晏子发觉车夫变化很大，就问他原因，车夫把实情告诉了晏子。晏子认为车夫知错就改，这是很好的品质，于是向齐景公推荐车夫做了大夫。

■ 晏子墓

穰苴斩首监军

齐景公的时候，晋、燕两国联合进攻齐国，齐景公十分担忧。这时候，晏子向齐景公推荐田穰苴。齐景公没有更好的选择，就让穰苴担任将军，率领军队去抵抗晋、燕两国的军队。

穰苴对景公提出要求说："我地位低下，君王一下子把我提拔起来，安排在大夫的上面，我的权威不足，所以希望您派一位受到人们敬重的大臣来督察军队，配合我。"齐景公于是就派大臣庄贾来督察军队。

穰苴告别了齐景公，与庄贾约定说："明天正午，我们在军营门口会合。"第二天，穰苴一大早就来到了军营，在军营门前竖起记时的标记，等待庄贾的到来。庄贾一向当大官，特别傲慢，觉得自己又作为监军，用不着太着急。所以他

史记故事中的大启发

答案 ■ 姓田。

■ 春秋·铜胄

只顾与给他送行的亲友喝酒取乐，完全没把昨天的约定放在心上。

已经是正午了，庄贾还没有来。穰苴不再等了，于是就进入军营，集合军队，宣布守则。这些工作做完，已经是傍晚了。这时候，庄贾才醉醺醺地来到军营。穰苴问："为什么迟到？"庄贾说："大家为我送行，所以耽搁了。"穰苴严厉地说："将帅一旦接受命令，就应该忘记自己的家庭；身在军队，要遵守纪律，就应该忘记自己的亲友；击鼓进军的危急时刻，就要忘掉自己的生命。如今敌人入侵，国内不安定，士兵们日晒雨淋，风餐露宿，连君主都睡不稳，吃不香，你还搞什么

送行？"说完，就要把庄贾拉出去斩首。庄贾一听，吓得半死，派人立刻去报告齐景公，请求救命。可是派去的人刚出发不久，穰苴就把庄贾拉了出去，斩首示众。全军士兵都很震惊。

过了很久，齐景公派来的使者带着免去庄贾死罪的凭证，骑马奔入军营。穰苴说："将帅在外，国君的命令也可以不接受。"然后又问军事法官："飞马闯入军营，依法应该怎么处理？"军事法官说："应当斩首。"穰苴说："国君的使者，不能杀。但是违反了军队纪律，必须惩罚。"于是就杀了使者的随从，砍了车子左边的车杆，杀了左边驾车的马，来警告全军将士。之后穰苴打发使者回去报告国君然后就率军出发了。晋、燕两国军队听到这种情况，很害怕，没等齐国军队到来，就都撤军了。

史记故事中的大启发

■ 春秋·龟纹铜簋

良相子产

郑简公三年，丞相子驷认为时机成熟了，想自己当郑国的国君。这件事被公子子孔发觉了，就派人杀死了子驷，由自己来担任丞相。不久，子孔也想立自己为国君，大夫子产对他提建议说："子驷这样做行不通，被你杀掉了；现在你又照他那样做，这样下去，郑国一定会一直动乱下去。"子孔听了子产的话，打消了自己当国君的想法，仍旧当丞相。

简公十二年，简公对丞相子孔独揽国家大权很愤恨，杀死了他，改用子产为卿（高级官员），还准备给他六个城镇，子产再三不要，最后只接受了三个城镇。

简公二十二年，吴国的使臣延陵季子来到郑国，见到了子产。二人见面，像老朋友见面一样，特

■ 子产画像

别亲热。延陵季子对子产说："郑国的当权者，生活奢侈腐化，挥金如土，这样下去，肯定要大祸临头，执政的重任就只能落在你的身上了。你掌握国家大权，一定要按礼法行事，不然的话，郑国肯定会灭亡。"子产诚恳地接受季子的

■ 春秋·玉饰

答案 ■ 郑国。

神灵，其实都不会使你的身体生病。你的疾病，是由于饮食、情绪、还有声色犬马造成的，与这两位神灵没有多大关系。"晋平公和叔向听了以后都赞叹不已，说："先生真是博学多才的君子！"晋平公非常感激，用丰厚的礼物报答了子产。

意见，并非常恭敬地接待他。

二十三年，许多公子都想得到郑王的偏爱、重视，互相残杀，也有人想杀子产。有的公子劝告说："子产道德高尚，有才能，郑国没有衰败，就是因为有子产，子产杀不得！"这样，子产躲过一次劫难。

二十五年，晋国的晋平公生病，郑国派子产出使晋国，去慰问晋平公。平公问子产："占卜说，我的病是因为实沈和台骀两位神灵在作怪，史官不知道他们是什么来头，请问他们是什么神？"子产思考一会儿，把"实沈"和"台骀"两位神灵的来龙去脉讲得清清楚楚，然后说："上面所说的这两位

■ 春秋·象首龙纹铜方甗

史记故事中的大启发

65

楚平王听信坏话

史记故事中的大启发

楚平王即位二年，楚国为了联合秦国抗击晋国，平王派费无忌前往秦国，替太子建求亲。秦哀公把女儿孟嬴许给太子建。孟嬴长得如花似玉，进入楚国，还没有到达都城的时候，接亲的费无忌先赶了回去，对平王说："秦女长得太美啦，您应该自己娶过去，再给太子另找一个。"平王听了他的话，就自己娶了孟嬴，生了个儿子，取名叫做熊珍。另外给太子娶了别的妻子。当时伍奢做太子的太傅（老师），费无忌做太子的少傅（老师）。太子不喜欢费无忌，费无忌也担心一旦平王死去，太子继位会遭到杀身的祸害，于是费无忌就常常在平王面前说太子的坏话，污蔑太子。

平王信任费无忌，不久就派太子建去北部边区驻守城父。太子一走，费无忌就没日没夜地在平王面前造太子建的谣言："自从我把秦女献给君王您，太子就开始怨恨我，对您也是怀恨在心，所以君王您应该防备他。再说，太子到城父后，加紧训练军队，结交诸侯，恐怕要兴兵作乱，所以，更得防着他。"平王听了，下令把太子的太傅伍奢找来，严词责备他。伍奢知道是费无忌陷害太子，就愤愤地说："你怎么能听信小人的

亲，召他们回来，他们一定会来。"平王派使臣去召伍尚、伍员。兄弟二人看出这是个阴谋，伍尚对伍员说："你逃走吧，我去送死。你能报杀父的仇恨。"伍尚回到了都城。伍员弯弓搭箭，出来和使臣见面，愤怒地说："父亲有罪，为什么召他的儿子？"拉弓就射，使臣惊慌逃走。伍员随后逃到了吴国。伍尚回到都城不久，果然和父亲一道被杀。

■ 人物玉龙图

诬陷，而怀疑亲骨肉呢？太子冤枉啊！"费无忌见平王不说话，立刻对平王说："现在越来越危险了，如果现在还不处理他们，恐怕后悔就来不及了。"于是平王把伍奢抓起来，命令司马奋扬带兵去城父杀太子。太子建听到风声，立刻逃到了宋国。

费无忌又觉得，只有清除忠于太子的伍奢父子，祸根才能根除，于是向平王说："伍奢有两个儿子，一个叫伍尚，一个叫伍员，都有才能，不杀掉他们，以后肯定是祸患。现在伪装宽恕他们的父

■ 楚惠王熊章铸钟

史记故事中的大启发

伍子胥鞭尸报仇

楚平王听信费无忌的谗言，杀害了伍奢和伍尚父子俩，伍尚的弟弟伍员（伍子胥）逃到了国外，准备为父兄报仇。

伍子胥到了吴国。由于他的帮助，公子光当上了国王，这就是吴王阖庐。阖庐继位以后，感谢伍子胥的帮助，让伍子胥掌管外交事务，并同他商量国家大事。

阖庐登位九年，吴国出动了几乎全部的军队，并且联合唐国和蔡国，一起去攻打楚国。吴军一连打了五次胜仗，很快就打到了楚国的都城郢，迫使楚昭王带着部分大臣慌乱出逃，吴王进入了楚国的都城。

■ 伍子胥画像

这么多年过去了，伍子胥终于实现了自己的诺言，带领吴国军队打进了楚国国都。进入楚都以后，伍子胥到处寻找楚昭王，可是楚昭王已经逃跑，找不到了。伍子胥的满怀仇恨没处发泄，于是就挖开了楚平王的坟墓，弄出他的尸体，用九节钢鞭对尸体鞭打了300下。

这时候，伍子胥在楚国时的好朋友申包胥已经逃到了深山里。他听说了伍子胥鞭尸的事情，就派人对伍子胥说："你也太过分了吧！在血统上，你毕竟也是楚平王的侄子；从道德上说，你毕竟做过他的大臣。可是现在，你竟然连

■ 伍子胥画像镜

史记故事中的大启发

■ 吴王光鉴

死人也侮辱，也不放过，难道就没有天理了吗？"

伍子胥回答："我向你表示歉意。不过，他曾经让我无路可走，把我逼得简直活不下去了。现在我终于有了报复的机会，我顾不得什么天理啦、道义啦。现在还不算完，我要彻底消灭楚国。"

申包胥听了伍子胥的这些话，觉得很可怕，急忙跑到秦国，请求秦国出兵援救。可是秦哀王有顾虑，不愿出兵。申包胥就站在秦国的朝廷上大哭，整整哭了七天七夜。秦哀王被感动了，于是派出了500辆战车去救援楚国，攻击吴国。

过了两年，由于吴王重用伍子胥和孙武，国富民强，西边攻破了强大的楚国，北面威胁着齐国和晋国，南边征服了越国，可以说是强盛一时。

史记故事中的大启发

伍子胥执著劝谏

史记故事中的大启发

吴王夫差二年,吴国出动了所有的精兵猛将,去征伐越国,把越国打得大败,报了姑苏战败的仇。越王勾践带着军队5000人退到会稽防守,形势很危急,派文种找到吴国的太宰伯嚭,表示愿意向吴国求和,并愿意做吴王的奴仆,归吴国统治。

吴王夫差准备答应越国的请求,伍子胥劝阻说:"这次能够打败越国,是上天把越国赐给吴国,怎么能够失去呢?不能允许求和。"文种求和

■ 吴王夫差鉴

不成回来后,通过越王勾践允许,用美女和黄金白璧收买了伯嚭,让伯嚭说服吴王。果然吴王听从了太宰伯嚭的话,答应和越国讲和,与越国签订了盟约,撤兵离去。

夫差七年,齐景公去世,大臣们争权夺利,新即位的国君年幼,不知怎么能办好。吴王听说了,马上要派兵进攻齐国。伍子胥劝阻说:"越王勾践现在自己耕种,妻

■ 吴王夫差矛

■ 吴王夫差馆娃宫的旧址

答案 ■ 勾践。

■ 伍子胥祠

子自己织布，不是自己种的粮食不吃，不是妻子织的布不穿，过着俭朴的生活，还整天吊唁死人，慰问病人，利用他的民众达到他报仇的目的。越国是我们的心腹大患啊！君王不先除掉他，反而要费力出兵攻打齐国，这不是很荒谬吗？"吴王不听，还是派军队讨伐齐国，打败了齐国。

越王勾践为了取得吴王的信任，带领大臣见吴王的时候，带了丰厚的礼物。吴王很高兴，只有伍子胥心怀忧虑，劝谏吴王说："越国是我国的心腹大患。现在即使夺得了齐国，也没有什么益处。对于越王这个坏家伙不要留下活口。"吴王听了很生气，就派伍子胥出使齐国。伍子胥把他的儿子托付给了齐国的大夫鲍氏，然后赶回国内，向吴王报告出使的情况并劝告吴王不要再打齐国。吴王听了以后大怒，赐给伍子胥宝剑叫他自杀。在死之前，伍子胥悲痛地说："请在我的墓旁种上梓树，长大以后可以做棺材，给吴王用。再挖出我的眼睛，放在吴国的东门，让我看看越国是怎么来灭亡吴国的！"

吴王夫差二十三年，越军彻底打败了吴国。吴王愤恨自己当初没有听伍子胥的劝告，自杀身亡。

史记故事中的大启发

■ 伍子胥纪念园

71

商鞅变法

秦国到了秦孝公执政时，孝公要重建秦穆公霸业，重整穆公时期的政策法令，于是发布命令说："大臣中，如果谁能出奇计，使秦国强盛，那么我将尊崇他，并给予高官，与他共同分享国土。"商鞅（姓公孙，名鞅，因为是卫国国君的公子，所以又叫卫鞅）听到这个求贤令以后，认为这是施展自己才能的好机会，就离开了卫国来到了秦国。

卫鞅到了秦国先去会见秦孝公的宠臣景监，并和景监谈论天下形势。景监见他很有才能和知识，于是就向孝公推荐。孝公立刻召见卫鞅，并问他有什么治国的好计策。卫鞅高谈阔论，口若悬河，讲了很久，把孝公都给讲睡着了。

过了几天又见孝公，卫鞅告诉孝公怎样使国家迅速富强起来，

■ 商鞅戟

引起了孝公的兴趣。

孝公打算采纳卫鞅的建议，但又恐怕天下人议论自己，所以犹豫不决。卫鞅劝说秦孝公："没有坚定的行动，就不能名扬天下；没有果断的措施，就不能建立功业。如果变法有利于民众，就不必遵守旧的礼制。"从而打消了孝公的顾虑。孝公又把变法的事交给大臣讨论，大臣甘龙和杜挚坚决反对，卫鞅进行了有力地驳斥，从而坚定了孝公改革的决心。

孝公任命卫鞅为左庶长，让他主持变法，制定变更旧法的新令。公元前356年到公元前350年，卫鞅大力推行过两次变法。变法的主要内容有：废井田，开阡陌（田地间纵横交错的小路）；奖励军功，建立军功晋级制，鼓励为国捐躯；重视农业生产，耕田织布，获得丰收的，可以免除劳役和赋税；要检举坏人，否则受罚。

■ 《尚书》书影

史记故事中的大启发

答案 ■ 姓公孙。

变法的命令颁布了一年，还有人不信这个变法能执行。正在这个时候，太子驷触犯了新法。卫鞅说："法，为什么不能普遍执行，是因为上面不守法。"他要依法处置太子，但是太子是君位的继承人，是不能施加刑罚的。于是就用太子的老师公子虔和公孙贾替罪。公子虔被割掉鼻子，公孙贾的脸上刺了黑字。这么一来，全国的人都按照新法执行，谁也不敢有丝毫抵触。新法实行10年，路不拾遗，山无盗贼，家家藏有粮食，人人感到满足。不论乡村和城市，都能保持良好的社会秩序。对外作战，士兵个个奋勇当先。

公元前340年，孝公命令卫鞅为将领，率领军队讨伐魏国，魏军大败。魏惠王不得已，派使臣到秦国讲和，把河西（今陕西渭南地区）割给秦国。由于进攻魏国有功，秦孝公把於、尚等15个城市封给卫鞅。从此，卫鞅被称为商君，或称为商鞅。

史记故事中的大启发

商鞅走过了头

史记故事中的大启发

　　商鞅做秦国丞相10年,实行改革有些过了头,得罪了很多人,皇亲国戚多数跟他有矛盾。

　　赵良会见商鞅,商鞅说:"我商鞅很愿意跟您交朋友,行吗?"赵良回答:"我实在是不敢当。孔子曾经说过,跟德才兼备的人做朋友,可以使自己进步;跟落后的人做朋友,会使自己退步。我是落后的人,怕耽误您,所以不敢跟您交朋友。"

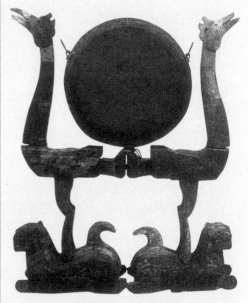

■ 战国·虎座鸟架鼓

■ 战国·宴乐铜壶

　　商鞅听了这种不友好而且带刺的话,就直截了当地问:"您不愿意治理秦国吗?为什么?"赵良回答:"对外能听取别人的意见,叫做聪明;对内能检查自己的思想行为,叫做文明;能克制自己的贪图,叫做强大。虞舜有名言说:'谦虚是最可贵的!',您不如向虞舜学习,不必问我了。"从赵良的话中可以看出商鞅现在也不够谦虚了。

　　从赵良的话中还可以看出,赵良因为有顾虑,有些话还没有说出来。商鞅看出了这一点,于是说:"古语说得好: 假话套话

答案 ■ 秦国军队，在郑国的黾池杀死了他。

■ 商鞅方升

廷，这可不能算是建功立业的正道。您对太子的师傅实行黥刑（在面颊上刺字，染成黑色），用严酷的刑法残害百姓，这样会积累怨恨和祸患啊！"

赵良最后说："如果您还是贪图财富，不放下权力，压制百姓，秦国会有大批的人收拾您！"商鞅不听赵良的劝告，悲惨的结局很快就来到了。秦国出动部队攻打商鞅，在郑国的黾池杀死了他。秦惠王用五马分尸来处置商鞅，然后杀掉了商鞅全家。

是花朵，心里话才是果实；苦口坦言是良药，甜言蜜语是病因。先生如果真的愿意劝告我，那您就直说吧！您还有什么顾虑呢！"

赵良于是开口说："您能见到秦王，是靠小人景监，这就不是正道。您做秦国的丞相，不以百姓为主，却大肆修建咸阳宫

史记故事

历史小测验 ■ 苏秦佩六国相印指的是哪六个诸侯国？

苏秦佩六国相印

史记故事中的大启发

苏秦是东周洛阳人，曾经在齐国求学，是著名的鬼谷先生的学生。

学习完成以后，苏秦到各国游说，宣扬自己的主张，但是，不仅一无所获，而且都生活不下去了，不得不回家休息。到了家里，兄弟、嫂子、姐妹、妻子都暗地里嘲笑他，还挖苦说："正常人都知道种地、经商，才能发财致富，可

是你不抓住这些东西，却偏偏靠一张嘴，劝说这个，劝说那个，怎么可能不穷困呢？你是活该啊！"苏秦听了这些话，很惭愧，就关起门来读书。读了一段时间以后，感慨地说："我接受了老师教给我的知识，但不能用这些知识获得成功，得到名誉地位，读得再多又有什么用呢？"于是就选择《阴符》刻苦钻研。一年后，他终于从书中学到了治国的道理，于是就走出书房，重新开始到各诸

■ 《史记·苏秦列传》中记载的苏秦合纵战略

侯国去游说。

　　苏秦先去见周显王，周显王手下的人根本就不相信他那一套，所以，他连周显王的面都没见到。在东周劝说不成，他又西行到了秦国。秦国当时刚刚杀了商鞅，对于游说的人有警惕心，所以，秦国也不用他。苏秦又从秦国往东到赵国。赵国的相国奉阳君对他也不欢迎。他又由赵国到了燕国。在燕国住了一年多，才会见了燕文侯。他向燕文侯分析了秦、齐、赵三个强国争夺天下的形势，提出了联合各国共同抵抗秦国的合作计划，讲明燕国必须联合齐国，联合赵国，才能平安无祸患。燕文侯听了，觉得他说得有道理，就给他车马和费用，派他出使赵国。

　　苏秦到了赵国，这时相国奉阳君已死，他会见了赵肃侯。他从赵国的地理位置和秦、齐、赵国的关系，说明合作符合赵国的利益，终于说服了赵肃侯。赵肃侯给他很多车辆黄金，让他到各国去做劝说合作的工作。

　　苏秦先去游说韩宣王、魏襄王，然后去游说齐宣王、楚威王，使他们都赞成合作，建立抗秦联盟。苏秦的合作计划成功了，他被推举为合作联盟的盟长，同时佩六国相印。他回到家里，兄弟、妻、嫂再也不敢小看他了。

史记故事中的大启发

■ 东周·玉镣

77

还是故乡亲

史记故事中的大启发

陈轸是个游说各国的辩士（能说善辩的人）。

由于张仪在秦惠王面前说陈轸的坏话，陈轸不得不离开秦国去了楚国。

当时韩、魏两国交战已经整整一年。秦惠王想制止这场战争，向大臣征求意见。有的认为应该制止，有的认为还是让他们打下去为好，秦惠王犹豫不决。恰好这时，陈轸回到了秦国。

陈轸会见秦惠王，惠王问："您离开我，到了楚国，还想念我吗？"

陈轸说："越国人庄舄在楚国当官，生病了。楚王问手下人：'庄舄本来是越国乡下的小人物，如今在楚国当了官，富贵了，你们认为他还会思念越国吗？'手下人回答：'一般说来，人们思念故乡，都是在他生病的时候。要是他思念越国，他就会用越国的口音说话；要是不思念越国，就会用楚国的口音说话。'楚王派人去听，结

■ 战国·双耳金杯

果庄舄还是用越国口音说话。如今，我虽然被您抛给了楚国，但是怎么能忘了秦国的口音呢？"

秦惠王说："好，是我对不起您，很抱歉。现在韩、魏两国交战，已经打了整整一年了，我不知道怎么办才好，请您替我想想办法。"

陈轸回答说："大王听说过卞庄子刺虎的故事吧。卞庄子看到两只老虎正在吃牛，就想去刺杀，可他又想等两只老虎争斗起来再刺杀。两只老虎为吃到美味一争斗，就会大的伤、小的死，这时再去杀掉受伤的大虎，不是一举两得吗？情况果然这样。如今，韩、魏两国已经打了一年整，要不了多长时间，肯定是大国受伤，小国灭亡。大王可以趁机去打那受伤的大国，这样必然是事半功倍。我们应当再等一等，不用着急，等他们打得差不多了，再进攻。"

没用多久，果然大国受伤，小国灭亡，于是秦国出兵，取得了彻底的胜利。这都是陈轸的功劳。

答案 ■ 秦国。

白起悔恨杀人过多

白起善于用兵，是秦昭王的得力大将。

昭王十四年，白起率军攻打韩国和魏国，杀敌24万；昭王三十四年，白起进攻魏国，俘虏了魏国三员大将，杀敌13万；后又与赵国将领贾偃交战，把贾偃的士兵2万人淹死在黄河里；昭王四十三年，又进攻韩国，占领了五个城，杀敌5万；两年后，秦军与赵军在长平交战，赵军被围困得缺粮断草，40万士兵全部投降。白起采取欺骗手段，把他们都活埋了，只允许未成年的240人归还赵国。

昭王四十八年，秦国进攻赵国邯郸，因为当时白起生病，秦王就派王陵带兵去攻打，结果久攻不下。白起病好以后，秦王想让他代替王陵攻打邯郸。白起推辞说：“邯郸其实不该打。赵国军队和各诸侯国里外配合，秦军占不到便宜。不能再打了，应该撤回来。”秦王不想撤军，还让白起率军去攻打，白起始终推辞，后来实在推辞不掉，就以生病为借口。

秦王没有办法，就派王龁代替王陵带兵，围攻邯郸八九个月，还是攻不下，而且秦军伤亡惨重。秦王很气愤，硬要白起去带兵，白起借口病重，就是不去。秦王派丞相应侯去动员他，也丝毫不起作用。

秦王特别生气，干脆撤了白起的职。三个月后，诸侯各国的军队联合起来攻打秦军，秦军多次被打败。秦王觉得很没面子，就派人遣送白起，不让他留在咸阳城里。白起动身以后，走到杜邮时，秦昭王跟大臣商量说：“白起搬家的时候，看上去很不服气，颇有怨言。留着他是个祸害。”于是就派人送给白起一把宝剑，让他自杀。

白起感叹：“我到底做过什么伤天害理的事，苍天为什么这样惩罚我呢？”然后低头沉默不语。过了很久，自己又说：“我确实该死。长平一战，我就把投降的赵军几十万人活埋了，这就足够使我千刀万剐！”随后含泪自杀。

史记故事中的大启发

陈轸讲"画蛇添足"

楚怀王六年,楚国攻打魏国,在襄陵打败了魏军,夺得了八座城镇。随后又调兵攻打齐国,齐王看到大军压境,很忧虑。恰巧,当

■ 楚王酓璋戈

时秦国派陈轸出使齐国,齐王问使臣陈轸:"你看怎么办好?"陈轸说:"君王不必忧虑,请允许我说服楚国,让它撤军。"说完,就前往楚军营地,会见楚军首领昭阳。陈轸对昭阳说:"我很想听一听你们楚国怎么奖励作战有功人员,对于打败敌人的怎么奖励?对于杀死敌军将领的怎么奖励?"昭阳说:

"官可以做到上柱国,并授给他很高的爵位。"陈轸又问:"还有比这更高的吗?"昭阳回答:"还可以做到令尹。"

陈轸说:"如今你已经是令尹了,这是一个国家里最高的官。我打个比方,有一个人送给他的帮工们一杯酒,帮工们商量说:'这么多人饮一杯酒,不可能都喝到,请各位在地上画一条蛇,谁先画完,谁就自己一个人喝这杯酒。'有一个人先画完,他端着酒杯站起来,看到别

史记故事中的大启发

答案 ■ 陈轸。

人都没有画完，就说：'我还能给蛇添上足。'等他画完蛇足，后画成蛇的人夺过酒杯，一饮而尽，然后说：'蛇本来没有足，可是你偏偏要给它添上足，那就不是蛇了。'你担任楚国的令尹，攻打魏国，打败了魏军，杀掉了魏将，没有比这更大的功劳了，这就好比戴了帽子以后，不能再加什么了。如今你又来攻打齐国，即使你战胜了齐国，地位也不可能比现在再高了。如果攻打齐国不能取得胜利，丧失了生命，丢掉了官位，这跟画蛇添足有什么区别呢？不如把兵撤回去，这是保持你功绩的好办法。"

昭阳想一想，觉得陈轸说得有道理，就率军回去了。

怀王十六年，秦国想攻打齐国，但楚国和齐国联合协作，秦惠王怕打不赢，就派丞相张仪劝说楚王和齐国断绝交往，答应如果断交，楚国可以收回以前被秦国夺走的600里商於地区。陈轸看出这是个阴谋，就劝告楚怀王不要上当，楚怀王不听，果然被欺骗。

怀王非常愤怒，要兴兵讨伐秦国。陈轸又阻止，说："君王您已经和齐国绝交了，现在要去讨伐秦国，这就等于促使秦齐两国的联合，这时攻打秦国，我国肯定要吃亏。"楚怀王还是不听，坚决发兵进攻秦国，结果楚军大败。

史记故事中的大启发

■ 联座铜壶

屈原投江

■ 屈原画像

史记故事中的大启发

屈原,是楚怀王时期的大臣。他学识渊博,记忆力强,深通治国的道理,善于与人交往。对内,他可以和楚王一起商议国家大事,发布命令;对外,他可以接待各国的使节,应付诸侯。楚怀王十分信任他。

秦昭王为了进一步吞并楚国,就邀请楚怀王去秦国会见。楚怀王打算去秦国,屈原不同意,他说:"秦国是虎狼一样凶狠的国家,不可信任,不要去!"可是楚怀王的小儿子子兰劝楚怀王接受邀请:"秦国这么友好,为什么不去呢? 一定要去!"结果楚怀王还是去了秦国。他一进入边关,秦

■ 《问天》书影

国埋伏的士兵就断了楚怀王的退路,并把他扣留在当地,要求他割让土地。楚怀王坚决不同意,并且还找到机会逃了出来,到了赵国。赵国不敢收容,他只好又回到秦国,最后死在了秦国。

楚怀王的长子楚顷襄王继位,他的弟弟子兰担任令尹。楚国人知道,要不是因为子兰,楚怀王不会死在秦国,所以楚国人很讨厌子兰。屈原热爱楚国,热爱故乡,并且还写文章表达了自己深切的感情,还有对奸臣和小人的愤慨。子兰看到屈原的文章,非常愤怒,指使别人在顷襄王面前说屈原的

■ 汨罗江

坏话，顷襄王听了特别愤怒，就把屈原驱赶到偏远的江南。

屈原来到江边，披头散发，一边漫步一边低声唱，一副憔悴、沮丧的样子。一位渔翁看见了就问他：“您不就是三闾大夫吗？怎么到了这里？”

屈原回答说：“社会黑暗，只有我清白；众人昏醉，只有我清醒。所以，我被驱逐了。”

渔翁说："圣人应该能够适应社会形势。社会混浊不清，那您应该随着潮流走；大家都喝醉了，那您也应该跟着喝一点。您不要保持自己的纯洁高尚，那样自己会吃亏的。"

屈原说："我听说，刚洗了头的人，必定要弹一弹帽子，刚洗过澡的人，必定会抖一抖衣服。是啊，谁愿意让自己清洁的身体，去接触脏的东西呢！我宁愿投江自尽，葬身鱼腹，也不愿让自己纯洁高尚的品质受到污染。"最后，屈原抱着石头，沉进汨罗江自尽了。

■ 屈原祠

史记故事中的大启发

越王勾践卧薪尝胆

■ 文种墓

越王三年，越王勾践不听大臣范蠡的劝告，和吴国交战，结果在夫椒大败。越王勾践带领剩下的5000残兵败将，退到会稽山上防守。吴军乘胜追击，将他们团团围住。

越王没有办法，只得派大夫文种到吴国去求和，说愿意把他全部的金银财宝都献给吴国。吴王同意讲和，然后撤军回国了。

吴王免去了对越王的惩罚，越王返回了越国。回国之后，勾践在自己的座位旁边，悬挂了一颗苦胆，无论在坐着的时候，还是在躺着的时候，他都要注视苦胆。吃饭时还要先尝尝胆汁，并且常常提醒自己说："你忘了在会稽遭受的耻辱了吗？"在生活上，他勤俭耐劳，亲自耕种劳作，夫人亲自纺织，平常日子不吃肉，穿衣不穿有色彩的华丽衣服；谦虚恭敬地对待能人，厚礼接待宾客，救济穷苦的百姓，悼念死者，与百姓同甘共苦。

为了使国家尽快强盛起来，勾践想任命范蠡为相国，主持国家的政治大事。范蠡推让说："在用兵打仗方面文种不如我；可是要说治理国家，团结百姓，我不如文种。"于是勾践把治理国

史记故事中的大启发

答案 ■ 范蠡。

家的大权交给了文种，派范蠡和大夫柘稽去吴国，留在吴国作人质。两年后，吴王放松了警惕，把范蠡放了回来。

勾践从会稽回国以后，整整七年的时间里，不图安闲舒适，不忘耻辱，发愤图强，全心尽力抚慰百姓，想有朝一日报复吴国。吴王骄横狂妄，连年出兵打仗，消耗了大量的军事力量，手下的大臣又你争我斗、奉承拍马，人心涣散。

在吴王杀了伍子胥的第二年春天，吴王北上，与诸侯集会联盟。吴国的精兵都随吴王北上了，只剩下老弱残兵和太子留守都城。于是勾践调动善战的水兵2000人，陆军4万人，君王的卫兵6000人，军官1000人，大举讨伐吴国。吴国军队大

■ 范蠡像

败，吴国太子战败身亡。吴国派人出城，向吴王报告紧急情况，请求援助。吴王也没有力量再战，就派人带着厚礼与越国讲和。越王估计自己无力吞并吴国，就与吴国讲和了。

■ 范蠡墓

■ 越王剑

史记故事中的大启发

85

老子像龙庄子像虎

史记故事中的大启发

老子,姓李,名耳,字聃,楚国苦县(今河南鹿邑)厉乡曲仁里人,做过周朝掌管藏书室的史官。

老子研究道德,据说研究得很深。他主张做人要消灭自私自利,做事不追求名分(名声、身份和地位)。他在周朝的都城住了好多年,后来看到周朝实在太衰落,就离开了。走到散关(地名)的时候,关令尹喜说:"您就要住在偏僻的地方,不出来做官了,那就请您为我写本书作为纪念吧!"于是老子就写了一本书——《老子》,

■ 老子画像

分上下两篇,一共5000多字,内容都是讲述道德的。书写完以后,老子就离开了,谁也不知道他最后流落到什么地方。

老子在周朝做官吏时,孔子曾来到周朝都城,向老子请教礼制。老子说:"我不懂礼制,没有什么好说的。我只知道,君子如果遇到合适的时机,就可以去做官;如果没遇到合适的时机,就应该在各种环境中得到满足,不该去强求。我听说,会做生意的商人,总是把货物严密地收藏起来,仿佛什么也没有;君子如果有高尚的德行,总是在表面上看起来很愚钝。所以说,做人用不着太显

■ 马王堆帛书《老子》

答案 ■ 李耳。

示自己，太强求自己。抛弃您的傲气和过高的理想吧！这些对您的身体没有好处。我所要告诉您的，就是这些。"

孔子离开周朝都城以后，对学生们说："鸟，我知道它能飞，但可以用箭去射它；鱼，我知道它能游，但可以用线去钓它；兽，我知道它能跑，但可以用网去捉它。至于龙，我无法知道它是怎样乘着风云升天的，也不知道怎样才能对付它。我今天看到的老子，与龙是多么相像啊！"

■ 庄子画像

■ 老子祠

老子最优秀的学生是庄子。庄子是蒙地人，名叫周。庄周和梁惠王、齐宣王是同代人，他曾担任过蒙地漆园的官吏。楚威王知道他的德才后，请他做丞相，他宁可在污水沟里滚爬，也不去。庄子的学问广博，几乎在所有方面都做过探索，然而他的指导思想是来自老子的学说。他著书10万多字，大体上都是寓言类。他的文章，用来反驳孔子学派，说明老子的观点。他善于用优美的文词描写事物，抒发感情，喜欢攻击儒家、墨家，当时最有名的学者，都受到过他的攻击，他的气势犹如猛虎。

史记故事中的大启发

87

在齐鲁会盟典礼上

孔子出生在鲁国昌平乡的陬邑（今山东曲阜县东南）。父亲叔梁纥曾经做过鲁陬邑宰，岁数很大的时候，与姓颜的少女结婚，生下了孔子。孔子刚出生时，头顶中间下凹，所以起名叫丘，姓孔，字仲尼。

■ 孔子画像

孔丘出生不久，叔梁纥就去世了。孔丘小的时候，爱做游戏，常摆起各种祭器，学着大人祭祀时的礼仪动作。

孔子35岁时，鲁国发生内乱，他就来到齐国。孔子和齐国的乐官讨论音乐，听到了舜时的《韶》乐，专心地学起来，三个月期间，吃饭时连肉味都品尝不出来，对于这种专心致志的精神，齐国人赞叹不已。

齐景公几次问过孔子管理国家的道理，孔子说："国君要像国君，臣子要像臣子，父亲要像父亲，儿子要像儿子。就是这样。"他还说："管理国家最重要的是要控制支出，节省财力。"景公听了很赞同，打算把尼溪的土地封给孔子。

后来，齐国的大夫里有人想谋害孔子，孔子得到了消息，就离开齐国，回到鲁国。鲁定公十年春天，齐国大夫黎锄对齐景公说："鲁国重用孔丘，依我看，这样下去，鲁国就会强盛起来，那肯定会威胁到齐国。"于是，齐景公派使臣告诉鲁定公，说要在夹谷举行友好会盟，实际是想要乘机杀掉鲁定公。鲁定公没有想到这些，准备要毫无防备地去会盟。孔子对

SHIJIGUSHIZHONGDEDAQIFA

答案 ■ 叔梁纥。

鲁定公说："办理文事，必须有武备；办理武事，必须有文备。希望你带左司马、右司马一道去。"定公就带了左、右司马一起随从。

到了夹谷会盟时，齐方表演歌舞，旌、旗、剑、戟等一齐上场，乱击乱舞。孔子恐怕伤着定公，快步上前，把手一挥，急忙制止。景公尴尬地命令他们退下。接着齐方又叫些舞女和小丑边舞边唱，走上台来。孔子再一次快步上前，大声说："贱民用低级庸俗的舞蹈和音乐来戏弄和诱惑诸侯，论罪应当斩！请命令执行！"于是定公带来的司法官立即上前，把几个人拦腰砍断。

景公对群臣说："现在，我已经得罪了鲁国的国君，该怎么办才好呢？"于是景公就把齐国侵占鲁国的一些土地归还给鲁国，用来向鲁国表示道歉。

■ 始建于战国（公元前478年）的孔庙

史记故事中的大启发

89

历史小测验 ■ 孔子共编写和修改过哪几本书?

学问精深教育有道

孔子花了很大精力来整理古代书籍。《书传》和《礼记》就是孔子编定的。当时,从古代流传下来的《诗》有3000多篇,孔子把重复的删掉,把可以用来进行礼仪教育的选取出来,整理之后,《诗》定为305篇,每首诗都可以配上音乐歌唱。他共完成了《诗》、《书》、《礼》、《乐》、《易》、《春秋》六艺的编写和修改。

孔子晚年喜欢研究《易》学,还详细解释了其中的一些篇章。他对《易》爱不释手,整天翻来覆去地读,把串联竹简的皮绳都磨断了多次。

■ 鲁壁。秦始皇焚书时,孔子九世孙孔鲋将孔子的书藏于孔宅墙壁中,使珍贵文献得以保存。

孔子用《诗》、《书》、《礼》、《乐》做教材,教育学生。他的弟子大约有3000人,其中优秀的弟子72人,另外,还有很多像颜浊邹那样的人,虽然在很多方面都接受了孔子的教育,但并没有列入72人之中。

孔子教育弟子,注重四个方面:学问、言行、忠恕、信义。他要弟子严格遵守四禁:不揣测,不武断,不固执,不自以为是。

■ 《孔子讲学图》

史记故事中的大启发

答案 ■ 《诗》、《书》、《礼》、《乐》、《易》、《春秋》。

■ 孔子铜像

孔子很少讲利益，即使讲到，也与命运和仁义道德联系起来讲。他讲课，如果不是弟子实在想不通，就不去启发他。如果弟子学知识，不能举一反三，就不讲授新课。

孔子说："三个人在一起，其中必定有人可以做我的老师。"又说："我所忧虑的事情，就是道德败坏，学习懒惰，不能向善，还有知错不改。"孔子不谈论的事情是：怪异、暴力、鬼神、淫乱。

对于孔子的学问和他对学生的教育，他的弟子颜渊这样感慨地说："老师的学问，我们接触得越多，越觉得它崇高无比；钻研越深，越觉得它坚实深厚。先生善于循序渐进地诱导我们学习，用古代书籍丰富我们的知识，用道德礼仪规范我们的言行，使我们都爱学习，刻苦学习，想放弃学业都不可能。我们尽力苦学，尽量有收获，可是老师的学问还是那么多，那么深，我们总也学不完。虽然我们都想赶上他，可无论怎样努力也追不上啊！"

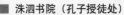

■ 洙泗书院（孔子授徒处）

史记故事中的大启发

孙膑指导田忌赛马

■ 孙膑画像

史记故事中的大启发

　　孙武去世100多年以后，有个后代叫孙膑，也擅长兵法。他曾经和庞涓一起，向鬼谷子学习兵法。后来，庞涓到魏国，被魏惠王任命为将军。庞涓虽然是将军，但他知道自己的才能比不上孙膑，他忌妒孙膑，于是就暗中派人召见孙膑，想残害他。孙膑到来以后，庞涓借口孙膑犯法，就私自对他施行刑罚，砍断了他的两块膝盖骨，致使孙膑再也站不起来了，然后又在他脸上刺字，使字永远擦不掉，让他无法见人，永远与外界断绝来往。

■ 孙膑坐骑五彩牛石雕

　　恰好在这个时候，齐国的使者到了魏国。孙膑听说了，就在暗中偷偷地会见使者，并说服使者把自己带回齐国。这位使者认为孙膑是个奇特的人，就想办法把他藏在一辆密封的车里，带回齐国。齐国的大司马田忌知道了，就友好地以贵客的待遇来接待孙膑。

　　大司马田忌和齐威王田齐是亲兄弟，他们经常与贵族子弟赛马赌钱。有一回，田忌带上孙膑去赛马场参加比赛。赛马开始

答案 ■ 鬼谷子。

■ 孙膑演武场

观看的百姓有几千人。比赛要开始了，孙膑对田忌说："现在您用下等马去对付他们的上等马，用您的上等马对付他们的中等马，拿您的中等马去对付他们的下等马。"比赛开始，第一盘，田忌输了，威王哈哈大笑。第二盘、第三盘田忌胜了。比赛结果是田忌一负两胜，赢得了齐威王和贵族子弟的所有赌注。

趁这个机会，田忌向齐威王推荐了孙膑。齐威王向孙膑请教兵法，学到了很多东西，就把他当做老师看待。

后，孙膑把田忌的马和其他人的马作了一番比较，认为那些马都可分为上、中、下三等，每一等的马力都差不多。这一次，田忌连输了三盘，很气馁。孙膑看见田忌无精打采的样子，就悄悄地对他说："您明天再约他们比赛，您尽管下大赌注，我保证能让您获胜。"田忌相信孙膑的话，就去邀请齐威王和其他贵族子弟赛马，并且押下了千金赌注。

第二天，赛场非常热闹，齐威王和其他贵族子弟坐着装饰精美的马车都来了，

史记故事中的大启发

93

西门豹斗河神

魏文侯的时候，西门豹到邺县担任县令。他到邺县以后，就马上会见当地的老人，向他们了解百姓的困难情况。老人们都说："最难办的是给河神娶媳妇，因为这个，百姓都很穷。"西门豹请他们说说具体情况，他们回答说："邺县的官吏每年都向老百姓征税很多，高达几百万钱，然后只花二

三十万给河神娶媳妇，剩余的就跟巫婆分了。"

西门豹问："新娘是哪儿来的？"

一位老大爷说："巫婆到处去查看没钱的人家，看谁家的女孩儿长得漂亮，马上就带走。到了河神娶媳妇那天，把这女孩儿打扮一番，让她坐在花花绿绿的床上，顺水漂去。刚开始床还浮在水面上，漂流了几里就沉没了。那些有

答案 ■ 魏国人。

漂亮女孩子的人家，都逃到外地去了。这里的人口越来越少，越来越穷。要是不给河神娶媳妇，洪水就会吞没一切，淹死所有的人。"

西门豹说："这样说来，河神还真灵！下一回他娶媳妇的时候，希望三老（乡官）、巫婆和乡亲们都去河边送送那女孩儿，我也要去送送。"

■ 战国·夔龙佩

到了那天，西门豹到了河边。三老、官吏、豪绅都到齐了，围观的群众有两三千人。巫婆是个老太太，有70多岁了，还带了10多个女徒弟。西门豹说："把河神的媳妇叫出来，让我看看长得漂亮不漂亮。"巫婆把那个姑娘领了来。西门豹看了看那女孩儿，回头对巫婆说："这个姑娘不漂亮，麻烦你去告诉河神，说我们另外选

■ 西门豹祠

个漂亮的，后天就送去。"说完，就让士兵抱起巫婆，把她投进河里。过了一会儿，西门豹对三老说："巫婆怎么还不回来，麻烦你去催一催吧。"于是把三老投进河中。

西门豹面对着黄河站了很久。那些官吏和豪绅都很害怕。西门豹回过头看着他们说："巫婆和三老还不回来，请你们去催催吧！"说着又要士兵把他们扔下河去。这些官吏和豪绅急忙磕头求饶，把头都磕破了，直流血。西门豹看了，说："好吧，再等一会儿。"又过了一会儿，他才说："起来吧，看样子河神把他们留住了，你们都回去吧！"从此以后，邺县的官吏再也不敢提给河神娶媳妇的事了。

史记故事中的大启发

95

秦国征战诸侯

■ 函古关，秦军与多国
联军多次在此交战。

　　秦孝公元年时，秦国位于偏僻的雍州地区，没有资格参与中原各诸侯国的联盟，诸侯们也都看不起秦国。这使秦国感到是奇耻大辱。于是孝公宣告全国："如果谁能出奇计，使秦国强盛，那么我将尊崇他，并给他高官做，与他共同分享国土。"卫鞅（即商鞅）听到秦孝公发布的命令，就来拜见孝公。卫鞅劝说孝公改革法制，整顿刑法，不要乱杀人；打仗时，要有明确的奖赏和惩罚制度，鼓励为国献身；要重视农业生产。孝公很欣赏他的建议，采用了卫鞅的新法。

　　以后几年，韩国、赵国、魏国、燕国、齐国与匈奴的军队联合起来，共同攻打秦国。由于秦国实行了卫鞅的新法，士兵英勇杀敌，秦

■ 彩绘车马人物漆奁（局部）

■ 云纹铜戈

国打败了联军，杀死了敌人8.2万。

武王时代，韩国、魏国、齐国、楚国和越国都服从了秦国。武王力气大，喜欢勇猛的人，所以力士任鄙、乌获、孟说都做了高官。有一次，武王与孟说进行举鼎比赛，结果武王摔断了膝盖骨，不久，武王就去世了。因为武王的死跟孟说有关系，所以孟说的全家族都被杀光了。武王去世以后，因为没有儿子，所以扶立武王的弟弟为秦王，这就是昭襄王。

昭襄王时代，军功显著，攻克了赵国、楚国、魏国、燕国、韩国，一路顺风，没遇到什么顽强的抵抗，韩国的上党君甚至放弃抵抗。只是赵国很难攻克，双方军队僵

持了许久。秦国派武安君白起攻打赵军，战斗得很激烈，在长平彻底打败了赵国的军队，40多万赵军全部被杀死。于是天下的诸侯都来归顺秦国。

庄襄王元年，东周君和诸侯一起，商量要攻打秦国，秦国知道了，派相国（百官之长）吕不韦杀了东周君，把东周土地全都划归秦国所有。魏国将军无忌率领五国联军攻打秦国，被秦国打得惨败，五国联军解散逃跑了。到始皇帝二十六年，秦国第一次统一了天下。

史记故事中的大启发

■ 秦俑坑出土的铜箭镞

97

历史小测验 ■ 秦穆公征西时，西戎的谁起了重要作用？

秦穆公征西

史记故事中的大启发

西戎是当时居住在我国西部地区的少数民族，是秦国的邻居。秦穆公有长远打算，在集中力量向东发展时，就常和大臣们研究进攻西戎的问题。

西戎王听说秦穆公英明能干，就派大臣由余到秦国观察。穆公接待了这位外交官，与他进行了长时间的谈话，发现他很有才干。穆公就偷偷地问内史（官名）廖说："邻国的圣人，是我国的祸患。邻国有由余这样杰出的人才，对秦国是很大的威胁，应该怎么对待他呢？"内史廖给穆公出了计策，穆公就按照内史廖说的去做。由于西戎王居住偏僻，没接触过中原的美好音乐，于是穆公就挑选了16名能歌善舞的美女，派内史廖送给西戎王，用来改变他。西戎王看了女乐的歌舞，陷入到那种声色之中，国事也不过问了。穆公又得到西戎王的同意，让由余在秦国暂时住一个时期，用来疏远由余与西戎王之间的关系，还可以了解

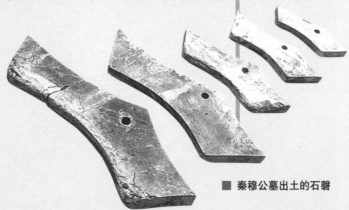

■ 秦穆公墓出土的石磬

到西戎的地形和兵力。

西戎王看由余很长时间不回来，怀疑由余投靠了秦国，于是二人之间就有了隔阂。一年后由余回到西戎，看到国内一派衰落的景象，心里十分难过，就去劝说西戎王别再欣赏歌舞了，把女乐给送回去。西戎王本来对由余就有疑心，根本就听不进去，整天依然用酒肉歌舞取乐。由余为这事很苦恼，整日在家闷闷不乐。这时，秦穆公派人到西戎，动员他到秦国去。由余看到国家衰败的样子，想到西戎王对自己的不信任，随时都有被杀掉的危险，于是就偷偷地离开了西戎，投奔了秦国。

■ 秦穆公墓出土的铁铲

穆公用接待贵宾的礼节欢迎由余的到来，并征求他对进攻西戎的意见。由余提供了攻打西戎的计策，并且与秦国大臣一起制定了进攻西戎的计划。不久，穆公亲自统率三军攻打西戎，西戎王指挥军队全力迎击，但几次交战都败下阵来，不得不投降秦国。不到两年时间，穆公就吞并了12个诸侯国，拓展了领土千里，取得了独霸的地位。

秦在西方的发展，加快了华夏族和戎族民众的融合，使西部地区得到局部的统一。所以周天子（皇帝）派召公带着金鼓去向秦穆公祝贺。

■ 秦公簋

史记故事中的大启发

历史小测验 ■ 即墨是现在哪个省份的城市？

齐威王突变

齐威王自从即位以来，不管国家大事，而是委托大臣办理。看到齐国这种情况，各诸侯国都来攻打，齐国屡屡战败，弄得全国人民不得安宁。齐威王看到国家这个样子，终于醒悟了，立刻召见即墨的大夫，对他说："自从你开始治理即墨以来，每天都有人诬蔑你。然而，我派人去视察即墨，却发现田地没有荒芜的，都耕种得很好，老百姓都丰衣足食；官府要办的公事从来不积压，整个东部都平安，这都是你治理的结果。有人说你的坏话，是因为

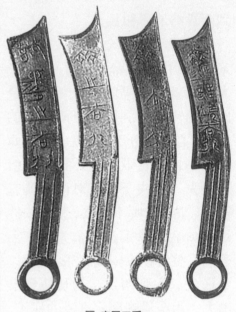

■ 齐国刀币

你不迎合我手下的官员。"于是封给即墨大夫一个万户的城镇。

奖赏了即墨大夫以后，齐威王又召见阿大夫，对他说："自从你治理阿地以来，每天都有赞美你的话，一天都不断。然而，我派人视察阿地，却发现田地荒芜，老百姓穷困，垂头丧气。从前，赵国军队攻占甄城，你眼看着不管；卫国军队占领了薛陵时，你竟然还不知道！你整天不干正事，却为什么

■ 齐国都城遗址

威王二十三年，齐威王与魏王一起去打猎。魏王问威王："大王有宝物吗？"威王回答："没有。"魏王接着说："像我们这样小的国家，还有直径一寸的夜明珠，即使在每辆车上装10枚这样的夜明珠，也可装饰12辆车呢，更何况你这种富贵的国家，怎么可能没有宝物呢？"威王回答："我对宝物的看法与大王不同。我有个名叫种首的大臣，派他防守盗贼，结果呢，夜不闭户，路不拾遗。这样的人，可光照千里啊！他的贵重，那12辆车上的宝珠是不能相比的！"魏惠王十分羞愧，低着头走了。

能得到赞誉？是因为你用重金贿赂了我手下的官员，求得了赞扬。"当天，齐威王就烹杀了阿大夫，连同自己身边曾经吹捧过阿大夫的人都一起烹杀了。

从这以后，齐威王认真治理国家，国家强盛起来了。齐威王发兵向西挺进，讨伐赵、卫两国；还在浊泽打败了魏军，而且包围了魏惠王。魏惠王割地求和，赵国也归还了原先占领的长城。齐威王治理整顿国家的举动，使齐国全国上下都很震惊，特别是官员们再也不敢说假话掩盖自己的错误了，对国家都尽心尽力。各诸侯国见到齐国的巨大变化以后，都不敢再来进犯。这种国富民安的情景，长达20多年。

■ 齐长城遗址

史记故事中的大启发

淳于髡说话婉转

齐威王八年,楚国大规模侵略齐国。齐威王派大臣淳于髡去赵国,请求出兵救援,让他带上礼物黄金100斤,10辆四匹马拉的车。淳于髡听了,仰天大笑,把帽子带都笑断了。齐威王奇怪地问:"先生为什么大笑?"淳于髡回答说:"我今天在路上看到一个祭祀田神的人,他左手拿着一只猪蹄,右手端着一杯酒,告诉田神自己的愿望:田神啊田神!请让狭小高地上的谷子盛满箩筐,让低洼田地上的庄稼装满大车,让我粮食丰收,连年有余!我看他拿的供品太少,想要的东西却太多,所以大笑。"于是齐威王把礼品增加到黄金2万两,白璧10对,马车100辆。这回淳于髡满意了,于是出发去了赵国。到了赵国,赵王派给淳于髡精兵10万,战车1000辆。楚国军队听到这个消息,只好连夜撤退了。

齐威王很高兴,在后宫摆下酒宴,招待淳于髡。齐威王看淳于髡喝得挺高兴,就问他:"先生喝多少酒才醉?"淳于髡回答:"喝一斗也会醉,喝10斗也会醉。"威王奇怪:"如果喝一斗就会醉,那怎么可能喝10斗呢!"

淳于髡说:"我在大王面前喝酒,旁边有执法官,身后有御史(法官),弄得我很害怕,所以喝不到一斗就醉。如果我在家里,有客人来拜访父亲母亲,我高举酒杯,敬酒为父亲母亲祝寿,那么最多能喝两斗。如果很久不见的朋友来访,边喝边交谈,那么我可以喝上五六斗。如果是乡里聚会,男男女女坐在一起,一边做游戏比赛,一边喝酒,大家没有什么约束,那么我就很高兴,喝上八斗酒,也只不过有两三分醉意。等玩到了晚上,朋友们一起坐在炕上,把剩下的酒合为一杯,香气阵阵,在这种时候,我心里最欢畅,能喝上10斗。不过,酒喝到顶点,就会乱套。也就是说,做事不能做过了头,过了头就衰败。"淳于髡用这些话婉转地劝告齐威王。从此,齐威王停止了通宵达旦的宴饮。

■ 战国·武士斗兽纹铜镜

苏代劝齐王不称帝

齐泯王三十六年，齐秦两国最为强大，齐泯王自称东帝，秦昭王自称西帝。苏代先生从燕国来到齐国，会见齐王，齐王说："先生来得正好！我正有个问题要请教您呢！秦国派人给我送来了帝号，先生您说我该怎么办？"

苏代说："大王这个问题提得太仓促了，我还没来得及仔细考虑。我初步的想法是，大王先把帝号接受下来，但不要马上称帝。等秦国称帝以后，看看天下的形势，如果天下能容忍，那时大王再称帝也不迟。假如说，秦国称帝以后，受到天下人的憎恨，那么大王就不要称帝，这时正是笼络天下民心的好时机。而且，如果天下两帝并立，大王您认为天下人是尊重齐国呢，还是尊重秦国？"

齐王回答："尊重秦国。"

史记故事中的大启发

103

■ 战国·鹿鼓

苏代接着又问:"如果大王放弃帝号,那么天下人是喜欢齐国呢,还是喜欢秦国?"

齐王很肯定地回答:"喜欢齐国,憎恨秦国。"

苏代又问:"东西两帝联合进攻赵国有利于齐国呢,还是大王您自己讨伐宋国暴君有利于齐国呢?"

齐王回答:"还是讨伐宋国暴君有利于齐国。"

经过这样的分析,苏代先生总结说:"如果大王称帝,齐国在名义上就是与秦国等级一样。但是在事实上,天下人只会尊重秦国,而不会尊重齐国。如果齐国放弃帝号,那么天下人就会喜欢齐国,而憎恨秦国。如果齐国称帝,那么就不得不和秦国一起去讨伐

赵国,这可不如齐国自己去讨伐宋国暴君对齐国更有利。因此,我希望大王向外宣传说放弃帝号,这样做,容易笼络天下民心。接着,大王应该抛弃联盟条约,不理睬秦国,不和它争高低,然后,利用这个时机去攻占宋国。另外,如果大王放弃帝号,而且讨伐宋国的暴君,那么国家就会受到重视,大王就会受人爱戴,天下各国没有谁敢不听从齐国。秦国称帝,大家表面上敬重它,实际上天下人咒骂它。这就是由低走高的策略,希望大王谨慎处理这件事。"

齐王听了苏代讲的道理,认为很对,就放弃了帝号,重新称王。不久,秦国也取消了帝位。

■ 四王冢,相传是齐威王、宣王、泯王、襄王之墓。

蔺相如完璧归赵

■ 和氏璧

赵惠文王的时候，有个楚国人献给他一块宝玉，叫做和氏璧，是无价之宝。秦昭王听说了，就写了一封信给赵王，表示愿意用15座城换这块宝玉。赵王接到信，立即召集大臣商量。大家说秦王不过想把宝玉骗到手罢了，不能上他的当；要是不给他吧，又怕他派兵来进攻。正在大家犹豫不决的时候，宦官长缪贤说他家有个门客（主人家里养的做事的人）叫蔺

■ 蔺相如画像

相如，可以担当使者到秦国去交涉一下，他能随机应变。

赵王把蔺相如找来，问他怎么办。蔺相如回答："秦国强，赵国弱，不能不答应。我愿意带着宝玉到秦国去。如果他不按约定实行的话，我保证把宝玉完完整整地带回来。"赵王于是就派蔺相如带着宝玉到秦国去了。

秦王在章台接见蔺相如，蔺相如捧着宝玉献给秦王。秦王非常高兴，一边看一边称赞。蔺相如看出来秦王并不想拿15座城换宝玉，就走上前去说："宝玉虽好，但还是有点小毛病，让我指给大王看。"秦王于是把宝玉交给他。蔺相如拿到宝玉，马上后退几步，靠着殿柱站定，怒发冲冠地对秦王说："我看您并没有诚意拿出15座城给赵王，所以把宝玉拿了回来。大王要是强逼我，我的脑袋和宝

史记故事中的大启发

玉就一块撞碎在这柱子上！"说着，举起宝玉就要向柱子上撞。秦王怕撞碎了宝玉，连忙道歉，还叫人拿来地图，把给赵国的15座城指给蔺相如看。蔺相如说："这块和氏璧，是天下公认的宝玉啊！要举行隆重的典礼，我才肯献出宝玉。"秦王只好答应，并跟他约定举行典礼的日期。

蔺相如回到宾馆，他知道秦王没有诚意拿城换璧，就叫手下人化了装，带着宝玉抄小路先回赵国去了。到了举行典礼那一天，蔺相如进宫见了秦王，大大方方地说："宝玉已经送回赵国去了。您如果有诚意的话，先把15座城交给赵国，我会马上把和氏璧送来，决不失信。不然，您杀了我也没有用，天下的人都知道秦国20多个国君从来都是不讲信用的。"秦王没有办法，只好客客气气地送蔺相如回国。

因为蔺相如完璧归赵立了功，赵王任命他为大夫。

答案 ■ 完璧归赵。

廉颇负荆请罪

秦昭王和赵惠文王在渑池友好会见。在会见时，秦王命令赵王弹瑟，并记录下来，用来羞辱赵王。蔺相如以死相拼，强逼秦王为赵王敲瓦盆，并记录下来，使秦王没有占到便宜。秦国的大臣又要求赵国用15座城给秦王献礼。蔺相如针锋相对，要求秦国用咸阳城给赵王献礼。就这样，秦国虽然百般刁难赵国，但是一点也没有占到赵国的便宜。

赵王回国后，因为蔺相如的功劳很大，任命他为上卿，官位比廉颇高。

廉颇看到蔺相如的职位比自己的高，很不服气，他对别人说："我身为赵国的将军，战无不胜，立了许多大功。而蔺相如呢？只

■ 廉颇画像

不过随便说了几句话，立了点小功，职位就爬到了我上面，我太丢脸了！我碰见蔺相如，一定要好好羞辱他！"

这些话传到蔺相如的耳朵里，他就常常借口生病不上朝，避免跟廉颇见面按官职排位次。有一天，蔺相如坐车外出，远远望见了廉颇骑着高头大马过来了，他赶紧叫车夫把车往回赶。蔺相如手下的人实在看不下去了，就一齐提意见说："我们这些人离开亲人投靠您，就因为我们敬仰您。可您遇到廉将军总是逃避，胆子也太

■ 彩绘云纹漆曲耳杯

107

史记故事中的大启发

小了吧！简直太丢人了，请您允许我们离开您吧！"

蔺相如再三劝阻他们："请你们想一想，廉将军和秦王相比，谁厉害？"他们说："当然是秦王更厉害。"蔺相如接着说："像秦王那样厉害，我都不怕，难道我怕廉颇将军吗？大家知道，强大的秦国不敢侵犯我们赵国，就因为赵国武有廉颇，文有蔺相如。如果我们两个闹不和，就好像是二虎相斗，两败俱伤，必然会削弱赵国的力量，秦国就要乘机来攻打我们。我之所以躲避廉将军，并不是怕他，而是为国家的利益着想。"

蔺相如的话传到廉颇的耳朵里，他静下心来想了又想，觉得自己为了争地位，就不顾国家的利益，太不应该了。于是就脱下上身的衣服，背上荆条，到蔺相如家里请罪。蔺相如见廉颇来负荆请罪，连忙热情地出来迎接。从此以后，他们两个成了好朋友，同心协力保卫赵国。

答案 ■ 秦国。

范雎一步登天

范雎是魏国人。他本想侍候魏王，但因为家里穷，连自己都养活不起，所以只好在魏国中大夫须贾手下干点事。魏昭王派须贾去齐国，范雎也跟了去。齐襄王听说范雎能说善辩，很有才华，就派人送给他10斤黄金，还有些酒肉，范雎坚决推辞不敢接受。须贾知道了这件事，很生气，认为范雎把自己国家的机密泄露给了齐国，所以齐国才送来这些礼物。回国以后，须贾把这件事告诉了魏国的宰相魏齐。魏齐非常气愤，于是就命令手下人把范雎抓来，用竹板痛打，范雎的肋骨被打断了，牙齿也被打掉了，遍体鳞伤，血肉模糊，似乎已经死去。魏齐就叫人用席子把他卷起来，扔到厕所的坑里。魏齐和宾客在屋里饮酒作乐，那些喝醉酒的都跑过来看，轮流把小便撒在范雎身上，故意侮辱他，用这种做法警告别人不要乱说话。

过了一会儿，等大家走开以后，范雎爬了出来，对看守说："如果您放了我，以后我一定重重谢您！"看守同情他，于是找到魏齐，请求派人把"死尸"弄出去。

魏齐当时喝醉了，随口答应了。范雎于是逃脱了。魏国人郑安平听说了这件事，就带着范雎逃跑，藏了起来。

当时，秦昭王的使者王稽正在魏国，郑安平把范雎介绍给王稽，王稽见到范雎是个有才华的人，于是就用车子把他载回到了秦国，住在了咸阳皇宫里。范雎找机会劝说秦王："现在的秦国，太后独断专行，穰侯眼里没大王，华阳君、泾阳君不遵守法律，高陵君有事不向大王请示。这样下去，您的政权怎能巩固呢？再说，大大小小的官，几乎全部听相国穰侯的话，大王真的很孤立。我真替大王害怕啊！"

于是秦昭王立即废掉太后，把穰侯、高陵君、华阳君和泾阳君赶到关外。然后任命范雎为宰相，并把庄城封给他，号称庄侯。

乐毅攻打齐国

史记故事中的大启发

乐毅是个军事家,起初在赵国做官。后来,赵国国内一片混乱,乐毅就离开了赵国,去了魏国。魏昭王派乐毅出使燕国。燕昭王诚心诚意请他为燕国做事,乐毅就成为燕昭王的一位大臣。

燕昭王见齐国的百姓有怨言,就要趁机攻打齐国,并征求大臣的意见。乐毅回答说:"齐国力量大,地广人多,而我们势力单薄,不适宜进攻。不过,大王一定要攻打的话,先要联合赵国、楚国和魏国,这样就有把握打胜了。"燕昭

■ 战国·铜鹰首提梁壶

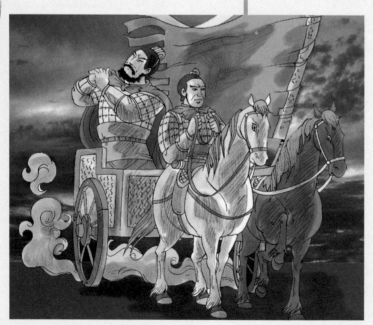

王于是派乐毅去联合赵国,还派其他大臣联合楚国和魏国。各国都受过齐国欺压的苦,很愿意跟着燕国去攻打齐国。

于是燕昭王出动了全部军队,派乐毅担任上将军去作战。赵惠文王也把

答案 ■ 上将军。

相国大印授给乐毅,让他领兵。这样,乐毅就统帅赵、楚、魏、燕国的军队去进攻齐国,在济西打败了齐军。然后各国撤兵回国,只有燕军在乐毅的带领下,单独追击齐军,一直追到临淄。攻入临淄以后,乐毅把齐国的金银珠宝和祭祀用的器具都运到了燕国。燕昭王非常高兴,亲自奖赏士兵,并把昌国封赏给乐毅,号称昌国君。

乐毅在齐国打仗五年,攻下了齐国的70多个城镇,只剩下莒邑和即墨没有占领。这时候,燕昭王死了,燕惠王即位。燕惠王做太子的时候,曾经和乐毅有矛盾,现在他做了君主,就去报复乐毅。

齐国的大将田单听到这个消息,就派人去燕国,挑拨燕惠王和乐毅之间的关系,说乐毅要在齐国称王。燕惠王本来就怀疑乐毅有野心,现在听了这样的谣言,就更担心了,马上就召回了乐毅,让骑劫代替他领导军队。乐毅知道燕王的鬼主意,害怕被杀,就投奔了赵国。赵国知道乐毅是个有才能的人,就把观津封给他,称为望诸君。乐毅在赵国受到尊重和信任,燕国和齐国都很震惊。

齐国知道了这种情况,马上就派大将田单去攻打燕军,一直把燕军赶出了齐国。这时候,燕惠王才知道上了齐国的当,但是后悔已经来不及了。

■ 战国·玉鹿

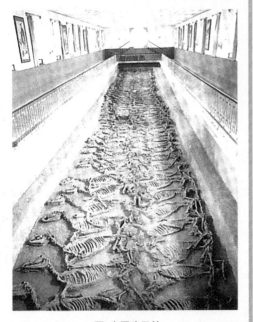

■ 齐国殉马坑

111

田单大摆火牛阵

史记故事中的大启发

燕国派乐毅攻打齐国，围攻即墨。齐国大将田单发动即墨城的力量抵抗燕军，并放出风去说："我们齐国人害怕燕国人破坏城外的那些坟墓，侮辱我们的祖宗，那样我们更伤心。"燕军听了，马上就去把齐国的坟墓全部挖开，焚烧尸骨。即墨人从城墙上望见了，都痛哭流涕，恨死了燕军，一致要求出城与燕军决一死战。

田单看到大家抗战的劲头起来了，就亲自拿着铁锹和士兵们一起修建防御工事并且还拿出自

■ 战国·铜匕首

■ 战国·错金车軎饰

己的食物慰劳将士。命令持枪的士兵埋伏起来，让那些老弱残兵和妇女、儿童站在城头上防守，迷惑敌人。同时，还派人带上2万两黄金去燕军营地商谈投降的事，燕军信以为真，都高呼万岁。从此以后，燕军放松了警惕，就等着齐国人投降了。

这时候，田单在城里积极做反攻的准备，他把城中1000多头牛收集起来，给它们披上红绸子衣服，上面画满五颜六色的蛟龙图像，把锋利的尖刀捆在牛角上，把浸满油脂的芦苇绑在牛尾上。然后，齐军把城墙穿几十个洞，夜里点燃牛尾上的芦苇，把这些奇形怪状的牛从洞里放出去，并派5000名精兵强将紧跟在牛的后面，直向燕军冲去。牛的尾巴着火，痛得不得了，怒吼着直奔燕军军营。

正在睡觉的燕军突然被吓醒，只见火光冲天，到处都是快速移动的火把，他们并不知道那是牛尾巴，只看见一群庞然大物，浑身都是龙纹，横冲直撞，只要被撞上，不是死就是伤。齐军也乘着火牛的攻势，杀入燕军阵地，老百姓也紧随着他们，老弱妇小都擂鼓助威，喊杀声惊天动地。燕军慌乱逃亡，死伤无数，主帅骑劫也被杀了。

齐国人乘胜追击，横扫敌军，攻下了一座座城镇，士兵一天天增多，天天打胜仗。燕军失败逃亡，最后退到原来燕齐两国的边界线内，燕军曾经占领的 70 几座城，全都回到了齐国的怀抱。随后，田单等人到莒城迎接齐襄王，襄王返回都城临淄，重新主持朝廷大事。襄王感激田单，封他为安平君。

史记故事中的大启发

113

神医扁鹊

扁鹊,原名叫秦越人。年轻时,在一家宾馆当主管。当时有个叫长桑君的客人,扁鹊感到他是一个特别的人,常常有礼貌地招待他。长桑君知道扁鹊不是一般的人。有一天,他叫扁鹊单独和他坐在一起交谈,长桑君悄悄地告诉扁鹊:"我有一个秘方,但我年老了,活不久了,想把它传给您,您不要泄露出去。"扁鹊说:"我一定保守秘密。"于是长桑君从怀中取出一包药递给扁鹊说:"用没有落地的露水来喝下这药,30天以后就能观察一切事物了。"扁鹊接过药方,忽然间,长桑君不见了,扁鹊醒悟到他不是凡人。扁鹊照他的话,服药30天后,果然可以隔着墙壁看见那边的人。他依据这个来看病,可以清楚地看出五

■ 史记故事中的大启发

■ 扁鹊画像

脏(心、肝、肺、脾、肾)六腑(胃、胆、三焦、膀胱、大肠、小肠)的毛病在什么地方,但在表面上还是先号脉。

晋国当权的贵族赵简子生病,昏迷五天不省人事,大夫都很害怕,于是召来扁鹊。扁鹊进屋看了病人一眼,就出去了,大夫董安急着问病情,扁鹊说:"血脉正常,你们不必大惊小怪!你们主君的病不出三天,就会好转的。"过了两天半,赵简子果然醒了。

后来,扁鹊经过虢国,正碰上虢国太子病死。扁鹊来到虢国宫门前,问一个喜好迷信的中庶子,中庶子介绍完病情后,扁鹊让中

■ 扁鹊庙

庶子转告国君,说:"我叫秦越人,人称扁鹊。我能让太子活过来。"中庶子根本就不相信扁鹊的话,于是扁鹊对他说:"您认为我的话是不真实的,您试试进去观察太子,会听到他耳有响声,看到鼻翼在张动,摸他的大腿两侧还是温热的。"中庶子听了扁鹊的话,瞪大眼睛,伸着舌头,久久讲不出话来,于是就把扁鹊的话报告给虢君。虢君听了特别惊讶,亲自出来接见扁鹊,说:"听到您崇高的品德很久了,可是没有机会拜见您。

有了先生,太子就活了,没有先生,太子就活不了了。"话没说完,就涕泪交流,悲痛得控制不住自己。扁鹊说:"太子的病,看样子像是死去,其实太子没有死,"扁鹊让他的学生子阳给太子针灸,一会儿,太子就苏醒了。

■ 针灸画像石拓片(局部)
东汉墓室内装饰图像。石刻画像共分三层,中层是针灸图。图左面有一个人面鸟身的神医,手执医针,正为病人做针刺治疗。把医者画成鸟像,正是为了象征战国名医扁鹊。

史记故事中的大启发

115

门客使孟尝君复职

史记故事中的大启发

孟尝君,姓田名文,他担任齐国的宰相,主持政府事务。孟尝君广招天下宾客,优待他们,并为他们安家立业。于是天下的读书人都纷纷投奔他。其中有一个出众的门客叫做冯煖,他很有才能。

齐闵王听信秦、楚两国的坏话,认为孟尝君的名声超过了自己,独揽了齐国的政权,于是就撤了孟尝君的职。很多食客(古代豪门贵族家里养的,为他们效劳的人)见到孟尝君被撤职,都离开了他。冯煖没离开,而是自告奋勇地

■ 楚国·四节龙凤玉佩

■ 孟尝君墓

对孟尝君说:"请您借给我一辆车子,派我去秦国,我保证您重新受到齐国的重视,官复原职,而且给您的城池会更大。"孟尝君于是就为冯煖准备了车子和礼物,派他出使秦国。

冯煖到了秦国,劝说秦昭王:"天下的说客,要是到过秦国的,没有谁不想加强秦国而削弱齐国;到过齐国的,又都想加强齐国削弱秦国。现在秦国和齐国都很强大,难分高下,势不两立,谁胜出,谁就能得到天下。"

秦昭王非常恭敬地问:"您有什么办法,可以使秦国胜出呢?"冯煖说:"大王已经听说孟尝君被撤职的事吧。您也知道,齐国得到全天下的重视,就是因为有孟尝君。可是现在,齐国却听信坏话,撤了他的职。他很想到秦国来。他如果到秦国来,那么他就会把齐国的秘密,全都告诉秦国,那么齐国可就是秦国的啦!您应该赶快派人去

偷偷地迎接孟尝君,千万不要错过了这个大好时机!如果齐国反悔,重新用孟尝君,那么秦齐两国谁胜谁负,就很难说了。"秦昭王马上派了10辆车子,载着2000两黄金,急匆匆地去迎接孟尝君。

冯煖告别秦昭王,急忙返回齐国,又用几乎相同的话劝说齐闵王重新重用孟尝君。齐闵王点头表示同意,但又不放心,于是就派使者到边境去打探,正好碰上了秦国的车马,使者马上掉转头,飞快地回报齐闵王。齐闵王十分惊慌,立刻召回孟尝君,恢复了他的宰相职位,并增加了1000户给他交租税(原有1万户)。秦国使臣听说孟尝君已经官复原职,于是就掉转车马,回去了。

史记故事中的大启发

历史小测验 ■ 毛遂是谁家的门客？

毛遂自我推荐

■ 毛遂碑

秦军攻打赵国，围攻邯郸，赵国派平原君赵胜去楚国请求救援，跟楚国订立联合条约。平原君准备带上自己家的文武双全的门客20人一同去。挑来挑去，只找到了19人，其余的门客没有什么可用的地方，凑不够20人。这时候，有个叫做毛遂的门客，走到平原君面前，作自我推荐。平原君说："凡是有才能的人就好像锥子放在布袋里，锥子的尖很快会扎破布袋，显露出来。如今毛先生在我家三年，从来没有听说过谁夸奖您，可见先生没有什么才能。您不能去，还是留下吧！"

毛遂说："我今天请您把我放在布袋里。假如我毛遂早就被放在布袋里，我整个的锋芒（才能）

答案 ■ 平原君。

早就显露出来了。"平原君看到毛遂很坚决，很自信，就带毛遂一起出发了。那19个人在旁也挤眉弄眼，都觉得毛遂很可笑。

到了楚国以后，平原君跟楚王商谈联合抗秦的问题，从早晨谈到中午，也没有结果，那19个人请毛遂去帮帮主人。毛遂于是找到平原君和楚王，对平原君说："联合的利益和害处，三言两语就可以说清楚。可是，两位从早上讨论到中午，还不能决定，这是为什么？"楚王指着毛遂问平原君："他是干什么的？"平原君答："这位是我家的门客。"

楚王于是对毛遂大声呵斥："退下去！我是在跟你的主人谈话，你来干什么！"

毛遂握着剑把上前说："大王吆喝我，是因为楚国人

多。可是，现在我与大王相距仅10步，楚国人再多也没有用，你的生命掌握在我手中。现在你觉得楚国土地纵横5000里，军队上百万，了不起了。可是秦国的将领白起率领几百万军队，第一战就夺下了楚国的鄢邑和楚都，第二战就烧了夷陵，第三战就侮辱了大王的祖先。这是楚国的深仇大恨，也是赵国的耻辱。订立联合条约，楚国得到的利益比赵国多得多，你想想该怎么办吧。我不用你吆喝！"

楚王的态度马上变了，恭敬地表示愿意订立联合条约。随后楚王手下的人拿来鸡、狗、马的血，放在铜盘上，然后，毛遂捧着铜盘，跪着把它献给楚王说："大王应当先歃血为盟，第二是我的主人，第三是毛遂。"于是，三人在殿堂上签订了联合条约。

■ 东周·鹿角立鹤

史记故事中的大启发

信陵君请侯嬴赴宴

魏公子无忌，是魏昭王的小儿子，被封为信陵君。信陵君为人仁慈厚道，谦虚谨慎，不论是对有德有才的人，还是对平民百姓，他都很尊重，从不因为自己显贵而看不起别人。因此，方圆几千里以内的读书人都争先恐后到这里来，他家的食客有3000多人。当时，诸侯各国因为信陵君善良有才能，门客又多，所以10多年来各诸侯国都不敢侵犯魏国。

有一次，信陵君跟魏王下棋，从北方边境传来了警报："赵国侵略军来了，快到边界啦！"魏王马上抛开棋盘，想

■ 战国·玉勾连云纹灯

要召集大臣商议对策。信陵君劝阻魏王说："赵王只是打猎，不是入侵。"两人接着下棋。可魏王还是放心不下，心神不定。过了一会儿，又从北方传来消息说："赵王只是打猎，不是侵犯。"魏王听了，非常吃惊，说："公子为什么猜得这么准？"信陵君回答："我的门客里面，有人能够打听出赵王的秘密行动，赵王的一举一动，门客总是把它报告给我，所以我了解情况。"

魏国有个隐士（隐居的人），名叫侯嬴，70岁了，家里很穷，担任大梁城的看门人。信陵君听说有这样一个人，就要去访问他，送财物给他。但是侯嬴不肯接受。信陵君回家以后，大摆酒席，请来许多宾客。信陵君

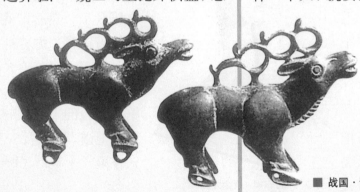
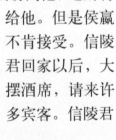

■ 战国·青铜麋鹿

带着车马，空着车子左边的座位亲自出城门去接侯嬴。侯嬴整了整破旧的衣帽，毫不客气地坐上突出的座位，想用这个举动观察魏公子对自己的态度。信陵君握着马缰绳，显得更加恭敬。上车以后，侯嬴对信陵君说："我有个朋友，叫做半亥，在集市的屠宰场里干活，希望能委屈一下您的车马随从，和我一起绕路去看看他。"信陵君于是驾车到集市里，侯嬴下车去会见半亥，二人说个没完

没了。侯嬴斜着眼睛，暗中观看信陵君的态度。只见信陵君握着缰绳，听侯嬴唠叨，毫无怨言，脸色更加温和。随从人员很气愤，暗地里骂侯嬴。侯嬴看魏公子的脸色始终不变，于是告别了半亥，又坐上车。

来到宴会上，信陵君领着侯嬴坐在上位，并一一介绍给宾客，宾客都感到意外。酒喝到正痛快的时候，信陵君站起来，专门走到侯嬴面前敬酒祝福。侯嬴很激动，赶快站起来，二人一同干杯。从这以后，侯嬴成了信陵君的贵客。

史记故事中的大启发

121

春申君舍身保主人

春申君是楚国人，姓黄，名歇。当时，他和齐国的孟尝君，魏国的信陵君，赵国的平原君，都很出众，被称为战国"四君子"，他们争着招揽天下有知识的、能说善辩的人。

当时，秦昭王正准备联合韩国和魏国，一起攻打楚国。楚顷襄王派黄歇出使秦国。黄歇写了一封书信给秦昭王，这封信从各个方面讲明了秦楚两国联合的理由，终于说服了昭王从楚地撤军。黄歇和秦国签订条约，两国成为同盟国。

黄歇回到楚国后，又与楚国太子完一起，被送到秦国做人质。这时，楚顷襄王病了，可是太子完在秦国做人质，不能回去探望。太子完跟秦国的宰相应侯关系很好，于是黄歇就找到应侯说："您和楚

答案 ■ 孟尝君、信陵君、平原君和春申君。

我有罪该死，请判处我死刑吧！"

秦昭王听说楚太子逃走，非常愤怒，想让黄歇自杀。

应侯说："黄歇能用死报效主子，实在难得。如果太子继位，他肯定会重用黄歇。所以不如让他回国，用这种做法和楚国搞好关系。"秦昭王听了，认为有道理，就派人送黄歇回国。

黄歇回到楚国不久，顷襄王就去世了，太子完继位，这就是考烈王。考烈王继位后，马上任命黄歇为宰相，封为春申君，奖赏给他淮北地区12个县。

■ 战国·银首人俑铜灯

■ 战国·兽形金带钩

太子相好，如今楚王病重，恐怕凶多吉少，秦国应该让楚太子回国探望。如果楚太子回国能够继位，他肯定会很好地对待秦国，并永远感激您。如果不让太子回国，那就会断送两个大国首脑之间的友谊。这样做太不明智了！"

应侯把这些话转告给秦王，秦王说："让楚太子的师傅先回去探问楚王的病情，等他回来以后再说怎么办。"秦王没有答应楚太子回国，于是黄歇偷偷地对楚太子说："大王如果去世，您不在国内，阳文君的儿子一定会被确定为继承人，那您就苦了。不如逃离秦国，跟使臣一起回去。我留下来，用生命抵罪。"

楚太子于是换了衣服，装扮成楚国使臣的车夫，逃出了关口。黄歇留在秦国，估计太子已经走远，没什么危险了，就亲自到秦昭王面前说："楚太子已经回国了。

123

韩非不被重用

韩非是韩国的贵族子弟。他喜欢法制方面的学说。韩非天生口吃,不善于说话,但是善于著书立说。他和李斯一起跟荀子学习,李斯虽然也学得很好,但连自己也承认比不上韩非。

韩非看到韩国越来越衰弱,很痛心,多次给韩王写信提意见,但韩王并未采用他的意见。当时,韩王治理国家没有什么办法,也不任用有德才的人。相反,韩王喜欢并重用那些说假话、浮夸的害人精。韩非对这种状况非常不满,他就写了《孤愤》、《五蠹》、《内外诸》、《说林》、《说难》等55篇文章,一共10万多字。

有人把韩非的书传到秦国,秦王嬴政读了以后,感叹地说:"唉呀! 我如果有机会见到这个人,跟他交往,就是死也不遗憾了!"然后就进攻韩国。

韩王安一向不喜欢韩非,也不重用他,现在大兵就要打进来了,才不得不派韩非到秦国讲和。

秦王终于见到了韩非,像老朋友见面一样,非常热情。但是由于韩非是韩国人,所以一时还不能得到信任和重用。

这时候,李斯和姚贾两个人提心吊胆,害怕韩非以后得到重用,影响自己的地位,就想陷害韩非。他们在秦王面前说韩非的坏

■ 《韩非子》书影

话:"韩非是韩国人,不可能效忠大王。现在大王想打垮各诸侯国,统一天下,他肯定会帮助韩国,不帮助秦国。如今大王把他留在秦国,他会了解我们国家很多情况,这可是以后的祸患啊! 不如现在找个罪名杀掉他!"秦王觉得有道理,就下令把韩非关押起来,惩罚他。李斯派人送毒药给韩非,韩非没有办法,只好服毒,死在狱中。后来秦王悔悟了,派人免去韩非罪名,但已经来不及了。

史记故事中的大启发

答案 ■ 李斯。

吕不韦引火烧身

秦庄襄王去世，秦王嬴政即位，就是后来的秦始皇，赵姬成为太后。秦王政长大以后，太后赵姬仍然与吕不韦有不正当的关系。吕不韦害怕他做的坏事被发觉，惹来杀身之祸，于是他就找来一个假太监嫪毐进宫，陪伴太后。太后见嫪毐身材魁梧，体格强壮，就十分喜欢。两个人一天到晚，形影不离，如胶似漆。

秦王也还算得上是个孝子，经常去问候太后。每次太后都夸嫪毐服务周到，全心全意。秦王就

■ 吕不韦画像

■《吕氏春秋》书影

尊从母亲的主张，封嫪毐为长信侯，把山阳那块地方也给了他。从此，嫪毐爬到了很高的地位，开始过问宫廷事务，逐步掌握国家大权，他家的财富成千上万，奴仆就有几千人，那些为当官而贿赂、投奔嫪毐的达1000多人。

秦始皇九年，在一个宴会上，嫪毐与一位官员一边喝酒，一边赌博围棋。他喝醉了，与这位官员争吵打斗起来，他想用势力压倒对方，就瞪着眼睛吼道："我是秦王的继父，你这穷小子敢怎样？"那人听了，吓得转身就跑。刚出门正碰上秦王，秦王见他那慌忙的

125

史记故事

历史小测验 ■ 刺杀秦王的勇士叫什么？

样子，心里想可能发生了什么事情，就把那个人带回宫审问。那个人无法隐瞒，就把嫪毐和太后的事都说了出来。秦王听了，肺都要气炸了。随后派人，准备抓捕杀掉嫪毐。嫪毐得到这个消息，慌忙逃跑。

秦王发布命令：活捉嫪毐的赏钱100万，把他杀死带来人头的赏钱50万。嫪毐刚好逃到好畤，就被秦王调来的部队捉住，同伙也没有一个漏网。

案子牵连到吕不韦，秦王想要杀掉他，但因为他曾经伺候过秦王的父亲子楚，功劳很大，另外，有很多人跑来为他说情，所以秦王没有杀掉他，只是免去了他的相国职务。

秦始皇十一年，各国使者络绎不绝地去访问吕不韦。秦王怕他叛乱，就给他写信说："你本

来是赵国人，你跟秦国有什么亲戚关系？可是你竟敢号称为'仲父'（第二个父亲）！你不要再自以为了不起了，你马上带着家属搬到四川去住！"吕不韦看过信以后，感到自己已经成了秦王的眼中钉、肉中刺，害怕被满门抄斩，就喝毒酒自杀了。

■ 秦·竹简（记载了秦国如何以法治国）

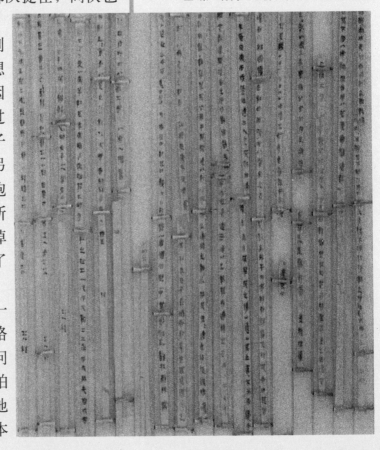

史记故事中的大启发

荆轲刺秦王

秦始皇十八年，秦国发兵准备攻打燕国，军队在中山地区驻扎。

燕国的太子丹对于秦国大兵压境非常害怕。他从前在赵国作人质，秦王嬴政出生在赵国，那时，他们年纪很小，经常在一起玩耍，交情很好。嬴政回国后即位，燕国太子丹又到秦国作人质。秦王政不讲旧的交情，对太子丹的态度很恶毒，所以太子丹怀恨在心，逃了回来，寻找对秦王进行报复的手段，但是燕国弱小，力不从心。

过了一段时间，秦国有个将军叫樊於期的，得罪了秦王，逃亡到了燕国。太子丹留他住了下来。

当时燕国有位田光先生，向太子丹推荐说："我老了，干不了啦。不过，我的一个好朋友荆轲可以与你分忧，担负谋求国事的使命。"太子丹同意了。荆轲去见太子丹，太子丹向荆轲行了跪拜大礼，说："当今形势危急，我打算找一位勇士出使秦国，劫持胁迫秦王，归还土地；或者将秦王刺死，造成秦国大乱，然后各

■《易水送别荆轲图》

国联合把它打败,希望你能考虑。"太子丹讲完以后,沉默很久,荆轲才说:"这是关系国家命运的大事,我才智低下,很难完成这个重任。"太子丹来到荆轲面前磕头行礼,坚决请荆轲不要推辞,荆轲终于答应了。

过了一段时间,荆轲准备动身到秦国去。他建议用樊於期的头和燕国最肥沃的地方的地图作信物,奉献给秦王,好获得被秦王接见的机会。太子丹为荆轲准备好了行装。荆轲带上助手秦舞阳动身出发了。

荆轲到了秦国,在咸阳宫中向秦王献上樊於期首级和地图。秦王把卷成一轴的地图打开,藏在里面的匕首露了出来。荆轲拿过匕首向秦王刺去,匕首从秦王耳边擦过。于是双方展开一场你

■ 荆轲塔

死我活的搏斗。几个回合,左腿被砍断了的荆轲寡不敌众,被一阵乱刀砍死。

由于燕国采取这种手段,秦王非常气愤,因此派出更多的军队进攻燕国,打垮了太子丹的军队,攻克了燕都蓟城,杀掉了太子丹,灭了燕国。

■ 荆轲刺秦王石像图

答案 ■ 匕首。

始皇帝巡视

　　始皇帝二十八年，秦始皇向东巡视，登上了邹地的峰山，在那里立了石碑，并与鲁地的知识分子商讨碑文内容，准备铭刻碑文，歌颂秦朝的功德。随后又登上泰山，树立石碑，祭祀天神。下山时，突然有狂风暴雨袭来，秦始皇就在一棵大树下避雨休息，因此封这棵大树为五大夫。这以后，他沿着渤海向东走，登上芝罘山，也树立石碑，刻碑文，歌颂秦朝的功德，然后离去。

　　秦始皇又向南登临琅邪山，在这里逗留了三个月，整天吃喝玩乐。在这期间，命令官员把3万

户百姓迁到了琅邪山下，免去了他们12年的赋税和劳役。随后，又动工建造琅邪台，立碑纪念，颂扬秦朝的功德，表明秦始皇的雄心大志。这些事完成以后，齐地人徐福报告皇帝说，海里有三座神山，一个叫蓬莱，一个叫方丈，另一个叫瀛州，有神仙住在那里。他希望能够率领童男童女到那里，寻找神仙。秦始皇同意他这样做，于是就派徐福率领几

■ 公元前218年秦始皇出巡线路图

历史小测验 ■ 秦始皇是从哪一年开始出巡的？

史记故事中的大启发

■ 天尽头，秦始皇两次东巡此处。

千名童男童女，下海寻找神仙。

秦始皇从东方返回的时候，路过彭城，想要把当年落在泗水中的周鼎打捞上来，于是派了1000多人潜入水中去找，没有找到。随后，秦始皇向西南渡过淮水，前往衡山、南郡。在坐船渡过湘江的时候，刮起了大风，渡船摇摇晃晃，几乎不能渡江。秦始皇生气，问博士："湘江的水神是谁？"博士回答说："根据传说，是尧的女儿，也就是舜的妻子，葬在河里。"始皇帝听了，大怒，让官员派3000名罪犯把湘山的树木全部砍掉，整座山都露出了红土，光秃秃的。

始皇帝二十九年，秦始皇到东方游览，被刺客惊扰，随从官员命令捉拿刺客，刺客没有抓到，于是在全国进行了10天的大搜捕。后来，秦始皇穿上便装，带了四名武士，夜里出去，暗中在咸阳巡视，在兰池宫又遇到了刺客，非常危险，武士杀掉了刺客，秦始皇有惊无险。

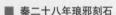

■ 秦二十八年琅邪刻石

秦始皇焚书坑儒

有一天，秦始皇在咸阳宫大摆酒席。有博士70人上前向始皇祝酒，其中有个叫周青臣的，他颂扬始皇的功绩没有谁能比得上。始皇听了非常高兴。另外，有一个博士叫淳于越，提出恢复分封制的主张。秦始皇把这个问题交给大臣们讨论。丞相李斯对淳于越的意见痛加驳斥，不同意重复过去旧的法治和制度，并建议：凡不是记载秦国历史的书统统烧掉。《诗》、《书》等诸子百家著作一律交到地方政府烧掉。有胆敢私下谈论这类书的处死。借颂扬古事而攻击当今的人，杀灭全族。秦始皇同意了李斯的建议，中国历史上的"焚书"事件就这样发生了。不烧的，只限于有关医药、占卜和种植的书籍。

秦始皇统一六国后，妄想长生不老，就派徐福带了几千童男童女出海求仙，但他们却一去不复返。四年以后，又派韩终、侯公、后生等人去寻找长生不老药。还派了卢生再去海外仙岛找仙人。卢生不久回来了，胡编了一本神秘的小册子，并说："将来灭亡秦国的是胡人。"于是，始皇派将军蒙恬率领30万大军，去进攻北方边境少数民族。后来，卢生又蒙骗始皇说："我们花了那

史记故事中的大启发

131

史记故事中的大启发

■ 秦坑儒谷

么多时间和精力，派了那么多臣子去寻找灵丹奇药和神仙，却都没有找到，好像是因为有什么东西伤害了他们，他们躲开了。要想和神仙见面，陛下居住的地方和平时的行动就不要让别人知道。"于是秦始皇从此行动隐蔽，只深居在咸阳宫内。卢生几次胡言乱语把事情搪塞过去了，但是到哪里去找仙人和长生不老药呢？侯生和卢生两个人商量说，始皇帝性格刚烈狠毒，自以为是，残忍暴虐到了极点，而且他们也不可能找到长生不老药，于是就相约逃跑了。

秦始皇听说他们逃走了，又听到了他们说他的坏话，非常愤怒。于是就派御史处理这个案件，对在咸阳的儒生一个个进行审讯，结果牵连到460多人。秦始皇亲自判决，把这些人全部活埋，用来警告别人。这就是历史上所说的"坑儒"。

■ 秦始皇帝陵

答案 ■ 蒙毅。

忠臣蒙恬遭杀害

蒙恬的祖先是齐国人。秦始皇二十六年，蒙恬担任秦军将领，率军攻打齐国，大败齐国。当时，秦国已经统一了天下，于是就派蒙恬率领30万大军，北上驱逐戎族和狄族，收复黄河以南的土地。同时，利用险要的地势，修筑长城，西起临洮，东到辽东，长达1万多里。蒙恬的弟弟叫蒙毅，英勇善战，官位达到了上卿。兄弟俩都受到秦始皇的尊重和信任，没有谁敢和他们抗争。

秦始皇三十七年，始皇到全国各地游览，蒙毅陪同。途中，始皇病重，于是就派蒙毅按原路返回，向神灵祈祷。蒙毅刚走，秦始皇就在沙丘地区病死了，但是他死的消息没有公开，大臣们都不知道。这时，赵高就跟李斯和公子胡亥秘密商议，立胡亥做太子。随后，又假借始皇的命令，让公子扶苏（始皇的大儿子）和蒙恬自杀。扶苏死后，蒙恬被抓了起来，胡亥听说扶苏死了，就想要释放蒙恬。

■ 秦·铜车马坑

史记故事中的大启发

■ 秦长城第一台遗址

史记故事中的大启发

蒙氏兄弟重新掌握国家实权,所以就日日夜夜在皇帝面前编造罪名诬陷他们,恨不得一下子就把他们弄死。

子婴(秦始皇的孙子)向二世皇帝提意见说:"蒙氏兄弟为秦朝立过功,您现在想抛弃他们,不太合适。而赵高,他不是个有德行的人,不能任用他。"胡亥不听子婴的意见,派人杀了蒙毅。随后又派人去杀蒙恬,蒙恬说:"我蒙氏家族世代忠心,为秦国建功立业,可结果竟然是这样。希望陛下能为国家和百姓考虑啊!"说完,就服毒自杀了。

赵高一直怨恨蒙恬和蒙毅兄弟俩,恐怕他们再次掌握朝廷大权,就在胡亥面前说蒙氏兄弟的坏话,结果蒙恬继续被关押。

蒙毅祈祷回来,赵高心里害怕,想趁机消灭蒙氏兄弟,于是就假装忠心,对胡亥说:"我听说,先帝(秦始皇)早就想选您做太子,就是因为蒙毅阻拦,您才没做成。在我看来,这个人留不得,应该赶快杀掉!"胡亥听了赵高的话,就把蒙毅关押在代地。

秦始皇的丧事办完以后,太子胡亥即位成为二代皇帝。赵高得到重用,掌握大权。但是他仍然担心

陈胜起义（一）

陈胜，阳城（河南登丰县告成镇）人，字涉。他在年轻的时候，曾被人家雇佣种地。

秦二世元年七月，秦国征调大批贫民到渔阳（北京密云县西南）驻防，其中有900人途经大泽乡（湖北蕲县）。陈胜和吴广也被编入这支队伍，并且担任小队长的职务。当时，大雨滂沱，道路不通，他们估计无论怎样也不能按时到达目的地了，而耽误了规定的日期，按照秦朝的法律，都要杀头。于是陈胜和吴广商量："不逃走是死，逃走被官府抓住也是死。同样是死，我们不如起来造反，推翻暴秦，这样为国家大事而死，不是死得更有意义吗！"

陈胜又说："秦二世残酷地统治天下，老百姓受苦已经不是一天两天了。我听说，秦二世不应该继位，应该继位的是大公子扶苏。二世继位之后，马上杀掉了扶苏，现在，百姓都知道扶苏有德有才，却不知道他已经死了。另外，项燕

史记故事中的大启发

135

■ 大泽乡起义旧址

是楚国的将军,多次立过战功,而且爱兵如子,楚国人都爱戴他,现在项燕下落不明。我们要是以扶苏和项燕的名义,向全国发出起义的号召,大家一定会响应的。"

吴广也同意陈胜的看法,就去占卜问问吉凶。那个占卜的人知道他们的意图,就说:"你们的事能成。不过,你们向鬼神请教过吉凶吗?"陈胜、吴广听了很高兴,又仔细琢磨了那个占卜人的话:"这是教我们借鬼神的力量,先在群众中取得威信。"于是,两人用朱砂在帛上写了"陈胜王"三个字,偷偷地塞进别

人捕捞的鱼肚里,然后要士兵买来鱼吃。士兵在剖鱼的时候,发现了鱼肚中的帛书,这让人感到非常惊奇。消息很快就传开了,大家立刻都知道了。接着,陈胜又让吴广躲到士兵驻扎地附近的一座古庙里,晚上提着灯笼左右摇晃,火光时隐时现,又故意模仿狐狸那样的声音喊叫:"大楚兴,陈胜王。"士兵晚上看到这种情景,听到这种声音,都惊恐不安。第二天,士兵们三三两两议论这件事,指指点点,却不敢明说,都把目光投向陈胜。

■ 陈胜墓

陈胜起义（二）

吴广一向爱护别人，很有人缘，士兵都愿意为他效力。有一天押送这批士兵的将尉喝醉了，吴广故意在他面前扬言要逃跑，激怒将尉来处罚他，用来激起大家的愤怒。那将尉果然中计，用竹板子打吴广，激起了士兵们的愤怒情绪。将尉更是生气，拔剑想杀吴广，企图对大家进行威胁和镇压。吴广突然跳起来，夺过剑杀掉了那将尉。这时，陈胜动手帮忙，把另外一个军官也杀了。事情已经闹大，他们召集士兵们说："各位兄弟，我们遇到了大雨，耽误了到达渔阳的时间，按照规定，都应当杀头。就算是不被杀头，长期防守边关，也是九死一生。身为男子汉大丈夫不死就罢了，要死就应该为国事而死。那些王侯将相难道天生就比我们高贵吗？"士兵们异口同声地说："我们愿意听从您的命令！"

于是，陈胜吴广就假冒扶苏和项燕的名义，顺从人民的愿望而举兵起义。参加起义的人用露出右臂为标志，号称大楚。他们修筑高台宣誓，并把那两个军官的头砍下来作祭品。于是，陈胜自称

史记故事中的大启发

史记故事中的大启发

为将军，吴广为都尉。分工明确以后，首先攻占大泽乡，然后进攻蕲县，蕲县不攻而破。接着向东进攻，战无不胜。军队一边行进，一边扩充兵员，等行军到达陈县时，已经拥有兵车六七百辆，骑兵1000多人，步兵几万人。攻打陈县的时候，那里的郡守和县令都不在里面，只有守城的县佐率兵在城门前抵抗。起义军攻势猛烈，县佐战死，于是起义军攻占了陈县。几天以后，陈胜、吴广召集乡官与地方上有声望的人士来开会，商讨一些重大事情。大家说："将军您身披铠甲，手持刀剑，讨伐无道，消灭暴秦，重新建立了楚国，功绩是伟大的，应当为王。"陈胜于是自立为王，国号为"张楚"。

正在这个时候，秦朝各个地方的百姓，已经受够了官吏的欺压，听说陈胜起义，就杀了官吏，投奔陈胜，起义军的势力迅猛发展。于是陈胜任命吴广为假王，率领一部分部队西征，攻取秦国的军事重镇荥阳。又派武臣、张耳、陈余率兵3000，攻打原来赵国的地方，派邓宗攻打九江。这是中国历史上第一次大规模的农民起义。

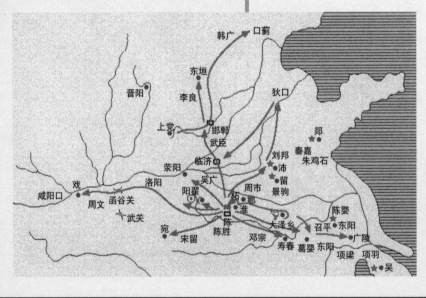

■ 陈胜·吴广起义示意图

答案 ■ 魏国大梁人。

张耳陈余亲如父子

张耳是魏国大梁人，年轻的时候，曾在魏公子无忌的家里做门客。后来，张耳得罪了人，隐姓埋名逃到了外黄。外黄有家富人的女儿长得很漂亮，却嫁给了一个愚蠢庸俗的丈夫，很不满意。后来，听说张耳人还不错，于是就改嫁了张耳。张耳到处交朋友，有的人甚至从千里以外来投奔他。没过多久，张耳就担任了魏国外黄的县令，名声越来越高。

陈余也是大梁人，有学问，多次到赵国游览。有个富人，叫做公乘氏觉得陈余是个不平凡的人，就把女儿嫁给了他。陈余年轻，像侍候父亲一样对待张耳，两个人结成了生死之交。

秦国灭亡魏国以后，听说张耳和陈余是有名的人物，就悬赏捉拿他们，捉到张耳的赏1000两黄金，捉到陈余的赏500两黄金。张耳、陈余只好改名换姓，一起逃到陈县，担当看门人挣点饭吃。有一回，有个小官找茬，鞭打陈余。陈余想要起来反抗，张耳暗中踩陈余的脚，暗示他不要反抗，忍着点。小官离开后，张耳把陈余拉到桑树下，责备陈余说："当初我是怎么对你说的？这么一点点屈辱，就受不了了，就想杀人？你的志向跑到哪里去了？"陈余很惭愧，马上承认了错误。

后来，陈胜、吴广在蕲县大泽乡

史记故事中的大启发

■ 秦代礼器·提链钫

139

历史小测验 ■ "指鹿为马"是谁搞的阴谋诡计？

■ 秦国空心砖

舍生忘死，为天下人除恶，大家都衷心地拥护您。可是，如果您现在就称王，那么天下人就会觉得您自私，对您以后的发展非常不利。所以希望将军暂时不要急着称王，赶紧率军向西前进。"陈胜性急，没有听取二人的意见，很快就在陈县自立为王。

陈胜已经成了陈王，陈余于是就请求率军攻打赵国。后来，张耳、陈余取得了一个又一个胜利，队伍发展到好几万人，占领了30多座城镇。

起义，攻打到陈县的时候，张耳、陈余去见陈胜。陈胜早就听说张耳、陈余有才能，现在两人登门，陈胜非常高兴，一见面就特别热情，他们谈得非常愉快。

当时，起义军已经有了很大的规模，所以陈县的豪杰劝说陈胜称王。陈胜征求张耳、陈余的意见，他们说："将军您

史记故事中的大启发

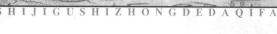

赵高指鹿为马

秦始皇去世后，太子胡亥即位，就是秦二世，当时他只有21岁。赵高担任郎中令（掌管宫廷警卫）要职，受到皇帝的信任。秦始皇去世，应该他的大儿子扶苏继位，但是，赵高、李斯、胡亥三人合谋，假借皇上的命令，逼死了扶苏，于是就立胡亥为太子。二世听信赵高的坏主意，为了巩固自己的统治，滥杀无辜，因此使得局势动乱，极不稳定。

赵高的权势越来越大，妄图进一步篡夺帝位。他把二世与群臣隔绝，架空二世，朝廷中的一切事务都由他控制，又用挑拨、欺骗的卑劣手段，害死了阻碍他夺权的李斯。

李斯死后，二世任命赵高为丞相，朝中大小事都由他决定，再没有人敢跟他争夺权力了。有一天，他给二世送去一头鹿，对二世说："我有一匹好马，献给陛下。"二世皇帝笑着说："丞相看错了吧？明明是鹿怎么说是马呢？"二世又询问左右大臣，有的大臣

默不作声，有的拍赵高的马屁，说是马，也有人说是鹿。不久，赵高就把说是鹿的人杀掉了。以后大臣们更畏惧赵高了。

有一天，赵高对二世说，为了免除灾祸，陛下应当到远一点的地方躲避一阵。于是二世迁到望夷宫去住。赵高假托二世的命令，把警卫人员集中，要他们穿上老百姓的服装，手持武器向望夷宫而来。赵高装作惊慌的样子跑进宫中对二世说："关东的大股盗贼打进来了！"二世顿时吓得全身哆嗦。于是赵高劫持二世，逼他自杀而死。

二世死后，赵高拿了皇帝的玉印佩戴起来，以一个皇帝自居，但是朝中百官没有一个人听从他的。

史记故事中的大启发

李斯斗赵高

太子胡亥即位成为二世皇帝以后，接受郎中令赵高的意见，法令和刑罚一天比一天严厉，杀了很多人，大臣们都很害怕，都想要叛乱。二世皇帝又大兴土木工程，对人民的剥削越来越重。国家到处都是怨恨的声音，陈胜吴广趁机起义，英雄豪杰纷纷起来响应，整个国家一天不如一天，但是皇帝却整天吃喝玩乐。

史记故事中的大启发

■ 李斯手书峄山刻石片断

这时候，赵高因为他杀害的人很多，很害怕大臣们上朝时揭露他，就说服二世皇帝不要到朝廷去，在宫中尽情享乐，有事让大臣们去办。赵高的意见正合皇帝的心意，于是皇帝就采纳了。从此以后大臣们再也见不到皇帝，朝廷大事都由赵高决定。

丞相李斯觉得皇帝这样做，对国家不利，就想去提意见。赵高听说李斯要见皇帝提意见，马上去劝阻，并且说："如果您要提意

■ 李斯小篆·《琅邪台刻石》

见的话，我可以帮忙，皇帝什么时候有空，我偷偷地先告诉您。"

不久，赵高趁皇帝欢宴娱乐兴致勃勃的时候，派人告诉李斯赶快进宫，皇帝正有空闲。李斯以为是真的，马上进宫见皇帝。就这样，接连好几次，惹得皇帝不高兴，皇帝怀疑李斯成心和他作对。赵高暗自高兴，马上添油加醋地说："要是丞相跟您作对，那可就太危险了！我还听说，丞相的儿子李由担任三川郡守，跟陈胜、吴广等叛贼有文件往来。

看来他是要土地，要封王啊！"

二世皇帝信以为真，准备惩办李斯。但又有点担心赵高说的不准确，于是就派人去调查三川郡守李由，看他是不是真的与叛匪勾结。李斯听到这个消息，很焦急，准备亲自向皇帝解释清楚。但还是见不到二世皇帝，就想办法写信给皇帝，说明赵高的问题。李斯信上说："现在，赵高在皇帝身旁，独揽大权，权势大小和陛下一样，这可是非常危险啊！陛下如果不早做防备，我恐怕他会叛乱呀！"

二世皇帝终于召见了李斯，并对李斯说："丞相恐怕把问题看严重了吧，赵高一向廉洁善良，因为他忠诚，所以得到了我的提拔，你可不要怀疑他。"后来皇帝担心李斯造反，于是让赵高把李斯抓了起来，并判处腰斩。

史记故事中的大启发

■ 秦·彩绘兽首凤形漆勺

历史小测验 ■ 刘邦的妻子后来是历史上的什么人?

把女儿嫁给刘邦

刘邦,相貌不凡,鼻梁很高,脸上胡须很美,左腿上有72颗黑痣。他性情仁厚,能够爱人,喜好施舍,心胸宽宏大度,心志超群,不肯做平常人。有一次,他到咸阳劳动,见到了秦始皇,非常羡慕,感慨地说:"大丈夫就应当像这样!"

有一天,沛县县令(县长)设宴招待一位从外地来的重要客人吕公,县里一些有名望的豪杰和官员也都来了。萧何当时负责收礼物,他规定:"贺礼不到1000钱的,请坐在堂下。"刘邦平时就看不起这些官吏,于是就写了一张礼单,故意写贺礼是1万钱,实际上他一文钱都没有。他大摇大摆地走了进来,吕公看他相貌出众,举止大方,对他非常敬重,就让他坐在上座。

酒宴喝到尽兴时,吕公给刘邦使眼色,诚恳地请他留下来。他留到了最后,吕公说:"我从小就喜欢给人看相,看过了不知多少人,但还没发现谁能比得上你的相貌。我有一个女儿,我愿意把她嫁给你,给你管理家务。"宴会结束后,吕媪对吕公发怒说:"平时你一直认为女儿不寻常,要把她嫁给贵人做妻子。好多有钱财有权势的来求婚,你都没答应,为什么现在糊里糊涂地把女儿许配给刘邦?"吕公说:"这种事,你们女人家是无法理解的。"最终还是把女儿嫁给了刘邦。这位千金小姐嫁到刘家,吃苦耐劳,不但要带小孩操持家务,还要做些田里的农活。这位吕公的女儿就是后来扶助刘邦取得政权,并一度掌握朝政大权的吕后。她生了一

■ 西汉·薰炉

儿一女。

刘邦担任亭长（在边境设立亭，有亭长，防御敌人）的时候，

遣送本县的工匠去修筑郦山墓，在路上有许多工匠逃跑了。到了丰西的泥泞地带，他停下来休息，一个人饮酒。晚上，他把这些工匠全都放走了，并且跟大家说："你们都走吧，我也要远走高飞。"工匠们很感激，有10多个壮汉愿意跟着他。他和这10多个人趁着夜色走小路希望赶快穿过这个地区。

刘邦让一个人在前面探路，走着走着，有一条大蛇横躺在路当中，这个人让大家绕道走。刘邦醉意还没过，他说："往前走，有什么可怕的？"他自己跑到前面，拔出宝剑把大蛇砍为两段。他们安全过去了，一起逃到芒砀山（河南永城县境内），等待时机，准备起义。

■ 骊山脚下的秦始皇陵外景

历史小测验 ■ 韩王信叛变，最后是被谁打败的？

卢绾的故乡情

卢绾是丰邑人，与刘邦是同乡。两人的父亲很友好，而且刘邦和卢绾是在同一天出生的，所以乡里人就带着羊和酒向两家道贺。刘邦和卢绾慢慢长大，两人一起读书一起玩，亲密无间。乡里人很羡慕两家，觉得他们父亲相好，生儿子都在同一天，孩子长大了又相好，很难得，就又一次带着羊和酒去祝贺两家。

■ 西汉·朱雀衔环杯

刘邦还是平民的时候，因为被人家告上法庭而东躲西藏，卢绾不怕招惹是非，跟着他到处奔波。后来刘邦在沛地起兵，卢绾仍然跟着他；到了汉中后，卢绾担任将军，经常陪伴刘邦；再后来，楚汉争霸，卢绾以太尉的身份随从刘邦左右，还经常得到衣被和饮食等奖赏。刘邦和卢绾二人这种不分你我的关系，是谁也比不了的。后来刘邦打败燕王臧荼以后，又封卢绾为燕王。

汉王十一年秋天，燕王卢绾为了防止匈奴出兵帮助陈豨叛乱，派手下人张胜到匈奴阻止匈奴出兵。由于听信了别人的坏话，张胜回国后，马上偷偷向卢绾说明不但没阻止匈奴出兵，还联合匈奴的原因——担心汉王刘邦将来消灭燕国。卢绾听了，恍然大悟。接着就派人联系陈豨，共同对付汉王。

后来，卢绾这些背叛的事情被刘邦听说后，刘邦大吃一惊，马上要召见卢绾，卢绾借口生病，不见。刘邦又派人去迎接，卢绾更加害怕，闭门藏了起来。不久，有个匈奴人投降了汉朝，交代了张胜请匈奴帮助燕国反抗汉朝的事。汉王刘邦马上派樊哙出兵去攻打燕国。卢绾不愿对抗汉朝，就带着家属，还有全部大臣以及几千骑兵，驻扎在长城脚下，想找机会进宫请罪。时间不久，刘邦去世，吕后彻底掌权，卢绾觉得凶多吉少，只得率领部下逃到匈奴。匈奴封他为东胡卢王，可是并不重用他，而且经常欺辱和掠夺他。卢绾当时也老了，生活在少数民族地区，处境很艰难，经常思念汉朝故土。一年多以后，死在了匈奴。

答案 ■ 周勃。

绛侯周勃屡战屡胜

周勃跟随汉王（刘邦），进入汉中征战。先是攻打秦朝各地，打败了秦朝一个个将领。秦朝势力被大大削弱以后，周勃等人就转移攻打项羽。项羽战死以后，周勃趁机向东进攻楚地，攻占了22县。当时天下已比较太平。

这时候，燕王臧荼叛变，周勃跟随汉王去镇压叛乱，在易县城下，打败叛军。周勃的士兵功劳最多，为了表彰周勃，汉王赏给他列侯爵位，还赏给他绛县1880户，号称绛侯。

在这以后，周勃又以将军的身份随从汉王出兵，进攻叛变的韩王信，降服了霍人县。然后继续进军，到达武泉，在那里攻击匈奴的骑兵，把匈奴兵打得抱头鼠窜。周勃和汉王南征北战，纵横东西，在太原、晋阳等许多地方，与韩王信和匈奴的骑兵展开激战，几乎是战无不胜。在平定叛乱的过程中，周勃率军打仗，战绩突出，功劳最大，于是，周勃被提拔为太尉（全国军政领导人）。

燕王卢绾叛变，这时候，周勃已经是相国。他领导军队去平定叛军，攻占了蓟县，俘虏了卢绾的大将抵、丞相偃、郡守陉、太尉弱、御史大夫施，并毁灭了浑都城；接

■ 周勃画像

着，又与卢绾的主力部队交火，在沮阳打败了卢绾的军队；然后乘胜追击，一直打到长城，杀死了卢绾。所有卢绾占领的地方都被平定，其中包括上谷郡的12个县，右北平郡的16个县，辽西、辽东两郡的29个县，渔阳郡的22个县。

总之，在多年的征战过程中，周勃屡战屡胜，战功卓著。

史记故事中的大启发

刘邦向西挺进

楚怀王在彭城军事会议上决定兵分两路:一路由宋义、项羽率领救赵国;一路由刘邦率领向西挺进,直攻秦国关中。

刘邦率军从砀郡出发,在途中收编了被打散的士兵,消灭了两支秦国的部队。继续向西前进,遇到了彭越,于是就与彭越一起向秦军进攻,又从武侯那里得到了4000多军人,都合并到一处。接着进攻昌邑,但没有攻下。又向西路过高阳。高阳人郦食其认为经过这里的将领很多,只有沛公(县

■ 张良塑像

官名)刘邦算得上心胸宽大的人。于是他去见沛公。沛公正坐在床边,命令两个女子给他洗脚。郦食其走进来,觉得沛公这样傲慢无礼,他也只是随便作了一揖,然后说:"你如果真的要消灭昏庸无道的秦王,就不应该坐着接见年长的人。"沛公听了,马上起身,穿好衣服,向他道歉,请他坐在上座。郦食其建议

答案 ■ 刘邦。

沛公尽快攻打陈留，从那里得到秦朝积存的粮食。拿下陈留后，沛公封郦食其为广野君，任命郦商（郦食其的弟弟）为将军，率领陈留投降的部队，与自己一起进攻开封，但没有取得胜利。随后，沛公率领军队继续向西挺进，把秦将杨熊的军队打得大败。

■ 张良庙

沛公多次打败秦军，攻占南阳之后，南阳太守逃跑，逃到宛城里，只是防守，不出城。沛公绕过宛城，继续西进。张良劝告说："您虽然急着要攻入关中，但秦军的人马很多，而且又凭着险关顽强把守着，所以攻打他们很困难。如果现在我们不攻克宛城，将来宛

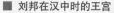
■ 刘邦在汉中时的王宫

城的秦军再从后面进攻我们，那就危险了。"沛公听了张良的意见，在晚上率军绕道返回，出其不意地到达宛城城下，把宛城包围了三层，迫使南阳太守投降。南阳太守想自杀，他的舍人（文书）陈恢说："现在还不是穷途末路的时候，离死还早呢！"然后，他就越过城墙，会见沛公。建议沛公用招降封赏的办法拿下未被占领的城市，向咸阳行进。沛公觉得陈恢的建议有道理，就封宛城的南阳太守为殷侯，封陈恢为千户侯。随后沛公在领兵向西挺进的过程中都取得了胜利，最先进入了咸阳。

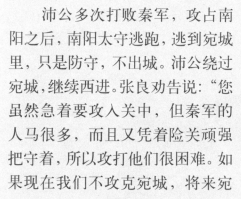

史记故事中的大启发

樊哙战功累累

史记故事中的大启发

樊哙，是汉高祖的同乡，与汉高祖关系很好。早先，樊哙只是个杀狗的屠夫。高祖开始率兵反抗秦朝时，樊哙扔下屠刀，随从高祖攻下了沛县。高祖自称沛公之后，用樊哙做舍人。樊哙英勇，跟随沛公南征北战，经常立功。沛公在濮阳攻打秦朝将领章邯的时候，樊哙率先登城，一个人就斩杀秦兵23人，为沛公立下了汗马功劳。

后来，沛公最先进入函谷关，封锁了关口，说是为了防备秦军。项羽信以为真，就设宴招待沛公，项羽的参谋范增派人要刺杀沛公。樊哙在军营外听说沛公有生命危险，就硬闯了进去。项羽两眼瞪着樊哙，知道他是沛公手下的人，就给他一碗酒和一只猪腿。樊哙喝完酒，拔剑切肉，把肉都吃光了。项羽问："还能再喝吗？"樊哙说："我死都不怕，还怕喝酒！沛公首先打败秦兵，进入咸阳，然后露营

答案 ■ 杀狗的屠夫。

在坝上，专心等待大王您到来。可是大王一到，就要刺杀沛公。这样做，只会让天下分裂，让大王失去民心。"项羽听了，沉默不语。由于樊哙冒死闯入军营，谴责项羽，沛公才脱离危险。

后来，秦朝灭亡，楚王项羽和汉王刘邦争霸，樊哙又随从汉王攻打项羽，俘虏了楚将周将军的士兵4000人，并在陈县大败项羽。

项羽死后，汉王做了皇帝。汉朝初期，国内不断出现叛乱，樊哙又跟随皇帝东奔西跑。由于樊哙屡屡立功，皇上授给他列侯爵位，并有凭证，世代相传。舞阳城还给他交纳租税，称他为舞阳侯。后来，陈豨叛乱，樊哙再次出兵，平定了27个县，摧毁了东垣，彻底打垮了陈豨叛军，他被

■ "汉并天下"瓦当，是刘邦为纪念战胜项羽，统一天下，建立汉朝而做。

提升为左丞相。当时，匈奴人经常与陈豨叛军勾结，樊哙又与匈奴兵大战，打败了匈奴兵。

几年之内，樊哙多次跟随高祖出征，亲自斩杀了176人，俘虏了280人。另外，还打败了7支军队，占领了5座城镇，平定了6郡、52县，俘虏了丞相一人，将军12人，其他将官11人。

■《刘邦祭孔图》

项羽破釜沉舟

楚军在支援赵国时，在定陶被秦军攻破，楚怀王惊慌。于是就在彭城召开起义军首领紧急会议，共商大计，决定任命宋义为上将军，项羽被封为鲁公，任命为次将军，范增被任命为末将军。三人一同率军出发，去救援赵国。

救赵的大军进行到安阳，停留了46天，没有前进。项羽主张赶紧率军渡过黄河救赵，楚军和赵军内外夹攻，必定战胜秦军。而宋义持观望态度，想让秦赵先打起来，而后再去攻打秦军。宋义还想跟齐国拉关系，派儿子宋襄到齐国去做宰相，亲自送到无盐（山东东平县东），在那里大摆酒席，招待宾客。当时天气很冷，还下着雨，官兵又冻又饿，都很不满。项羽对身边的人说："这次集中全国的军队、钱粮交给宋义，希望他竭力救赵攻秦，国家的安危在此一举。可他呢，不体贴官兵，只贪图个人私利，他不是安定国家的良臣。"于是一天清晨项羽在拜见宋义时，趁机杀了他，并在军中发布命令说："宋义与齐国合谋反叛楚国，楚王密令我把他杀掉。"项羽又派人到齐国，杀掉了宋义的儿子。然后项羽派桓楚把事情经过报告楚怀王，怀王于

■ 项羽画像

是任命项羽为上将军，军队都归他指挥。

项羽杀了宋义，威震楚国，名闻诸侯。他派遣当阳君、蒲将军率领2万士兵渡过漳水，去救援巨鹿，失败了。于是项羽亲自率领全军人马渡过漳河，上岸后，项羽命令把所有渡船都沉入水底，把锅碗瓢盆都砸烂了，把住的房屋都烧毁，只随身带三天的口粮，用这种做法向士兵表明，要决一死战，

史记故事中的大启发

答案 ■ 次将军。

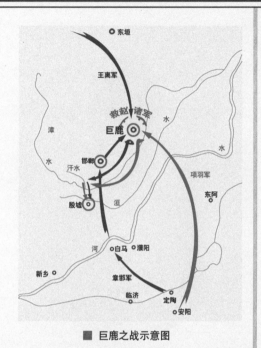

■ 巨鹿之战示意图

不许退却。楚军到达巨鹿，多次激战，断了秦军的粮道，打垮了秦军，把秦国将领杀的杀，抓的抓，只有大将涉间拒不投降，自焚而死。

本来，在巨鹿城下准备援救赵国的诸侯军队很多，但都不敢出兵。楚军攻打秦军时，大家都在观望。楚军战士勇猛杀敌，以一当十，喊杀声惊天动地，诸侯们胆战心惊，惊慌失措。等到楚军打垮秦军以后，项羽召见诸侯将领，他们进入辕门，都跪在地上用膝盖行进，不敢往上看。从此，项羽成为诸侯们的上将军，成了反秦斗争中的英雄和领袖。

史记故事中的大启发

153

项羽摆鸿门宴

公元前207年10月，刘邦率领义军赶在其他诸侯前边进入咸阳。为了想做关中王，他派兵把守函谷关，阻止项羽和各路诸侯进入关中。11月中旬，项羽率领各路诸侯一下就把函谷关拿下了。

项羽有军队40万，驻扎在新丰（陕西临潼东），刘邦（沛公）只有10万士兵，驻扎在坝上。情况十分危急。沛公采纳张良意见，准备上门向项羽赔罪。张良通过他的好朋友项伯（项羽的叔叔），把沛公上门赔礼道歉的意思传达给项王（项羽），项王同意了。

■ 张良画像

第二天，沛公带了100多个警卫骑兵来到鸿门，向项王道歉认错。项王当天设宴招待沛公。在饮酒时，范增几次给项王使眼色，要他果断地除掉沛公，但项王默默地没有反应。范增出去叫来项羽的堂弟项庄，让他进去借舞剑助兴，趁机刺杀沛公。项伯知道项庄舞剑的意图，也拔剑起舞，用身体掩护沛公，使项庄得不到刺

史记故事中的大启发

154

答案 ■ 项羽。

■ 《鸿门宴》壁画（局部）

杀沛公的机会。在这万分紧急的时刻，张良叫来了樊哙。项王命令左右赐给他一杯酒、一只猪腿吃下，使紧张气氛稍微缓和了一些。过了一会儿，沛公起身上厕所，招呼樊哙一道出去，张良也跟了出来。三人商量决定让沛公不辞而别，张良留下，带上白璧一双献给项王，玉斗一双献给亚父（项伯）。

项王接过白璧放在坐的地方，亚父接过玉斗，摔在地上，拔剑把它砍得粉碎说："这小子，不能和他共谋大事。将来夺取项王天下的必然是沛公，我们这些人都得被他俘虏。"这实际是骂项王。过

了几天，项羽领兵进入咸阳，大肆屠杀，也杀死了已经投降的秦王子婴。又放火烧了秦朝宫室，大火烧了三个月都没有灭。他又搜刮了秦宫的金银财宝，虏掠了宫娥彩女，然后领兵东归。

项王打算自己称王，于是就分割天下，立各位将领为侯为王。项王和范增担心沛公占有天下，于是扬言巴、蜀地区也属关中，就立沛公为汉王，并把关中一分为三封给秦国投降的将领，用来牵制汉王。项羽自己则为西楚霸王，建都彭城。

史记故事中的大启发

155

历史小测验 ■ 项羽的宝马叫什么？

项羽四面楚歌

公元前202年，汉王刘邦听从张良的建议，划出土地封给韩信、彭越，使他们答应出兵，共同攻击楚军。于是韩信的部队从齐国出发，彭越的部队从寿县（安徽寿县）出发，两军并行南下，血洗城门（安徽亳县东南）后，来到垓下（安徽灵璧东南）。楚国的大司马周殷背叛楚国，同韩信、彭越部队会合，进逼项王。四路大军猛攻，把项羽打得大败。项羽退入垓下营垒坚守。

■ 黑漆玳瑁盒

项羽在垓下修筑壁垒，士兵不多了，军粮已吃完了。汉王刘邦的军队和各路诸侯的军队把他重重包围起来。晚上，楚军听到四面八方的汉军都在唱楚地的民歌。项王非常惊奇："怎么可能呢？难道汉军把楚国都占领了？为什么会有这么多楚国人呢？"项王心烦意乱，不能入睡，就半夜起来，在帐中饮酒。

项王有一个名叫虞姬的美人，经常带在身边；项王还有一匹名叫雕的骏马，项王经常骑着它南征北战。项王面对美人、骏马，突然有一种凄凉的感觉，于是就慷慨悲歌，作诗说："力拔山兮气盖世，时不利兮雕不逝。雕不逝兮可奈何，虞兮虞兮奈若何！"项王唱了好几遍，美人作诗应和说："汉兵已略地，四方楚歌声，大王意气尽，贱妾何聊生！"项王痛哭流

■ 京剧《霸王别姬》剧照

答案 ■ 骓。

陷进了沼泽地中，被汉军追上了。项羽又率军向东，到达东城，身边只剩下28个骑兵，而汉军追赶的骑兵有几千人。项羽让将士们下马步行，持短兵器交战。项羽一人就斩杀了汉军几百人，项羽身上也受了10多处伤。这时他回头看见了老朋友汉军骑兵中的司马吕马童，于是说："听说汉王用重金赏买我的头，我送给你做个人情吧。"说完，就自杀而死。项羽死后，楚地全部归了汉王。汉王把项羽葬在谷城，大哭了一场才离去。项羽终年32岁。

■ 广武涧，曾是刘邦与项羽争霸对峙的地方

涕，左右人等都跟着哭泣，军营沉浸在一片悲凉的氛围中。

趁天没亮，项羽独自上马，率领800名壮士组成的骑兵队，向南突围，飞奔逃生。天快亮的时候，汉军才发觉，汉王赶紧命令骑兵将领灌婴率领5000骑兵火速追击。项羽渡过淮河，跟着他的骑兵只剩下100多人。项羽到达阴陵，迷了路，向一个种田的老人问路，那人欺骗他说："向左。"结果

史记故事中的大启发

157

田横宁死不归汉

汉将韩信带兵攻打齐国，齐国派华无伤和田解在历下驻军抵抗。汉王又派郦食其到齐国，劝说齐王田广和相国田横投到汉王手下。郦食其一到，齐军就解除了战备，准备同汉军讲和，可是，齐国万万没有想到韩信突然击破齐国在历下的军队，并打入齐国的都城临淄。齐王田广和相国田横以为郦食其欺骗了自己，就烹杀了郦食其，然后都逃跑了，相国田横

逃到了博阳，齐王田广向东逃到高密，随后被韩信俘虏。

后来，田横自立为王后，反击汉将灌婴，又被灌婴在嬴城打败，逃亡到梁地，投到彭越那里。

一年后，汉军消灭了项羽，汉王成为皇帝，彭越被封为梁王。在彭越那里的田横害怕被杀，就带领手下500人逃到东海。汉高祖听说了，就派使者来到海岛，表示愿意免去田横的罪过，并希望接见他。田横推辞说："我曾烹杀陛下

■ 徐悲鸿·《田横五百士》

史记故事中的大启发

■ 田横雕塑

的使者郦食其，他的弟弟郦商现在是汉朝的将领，我害怕，不敢再到汉朝当官。请皇上允许我做一个老百姓，在海岛上养老到死。"使者回来报告后，高祖再派使者去见田横，告诉田横要是愿意投靠汉高祖，高可以封为王，低可以封为侯。如果不愿意归属汉高祖，那就别怪汉朝不客气了。

田横考虑了一下，就带着两位手下坐着车去洛阳见汉高祖。走到离洛阳还有30里左右的时候，停留下来，支开使者和其他人，只留下两位手下人，然后说："当初，

我田横和汉王一样，都是称王的人，可是现在汉王做了皇帝，我成了俘虏，要跪拜在他的脚下，这种耻辱我不能忍受。再说，汉王想见我，只不过是想看看我的模样。如今汉王在洛阳，如果砍下我的头，奔驰30里地，容貌不会改变，还是可以一看的。"说着就拔剑割了脖子，手下人捧着他的头，跟随使者去见高祖。高祖见了很受感动，流下了眼泪，并按侯王的礼节安葬了田横。

田横下葬之后，两个手下人在田横墓旁挖了坑，割了脖子倒在坑里陪葬田横。还有，留在海岛上的那500名手下人，听说田横死了，也都先后自杀，不愿丢下自己的主人而归汉朝。

史记故事中的大启发

■ 田横岛

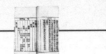

韩信背水一战

　　张耳和陈余本来是生死之交，但因为张耳在巨鹿被秦军包围时要陈余去支援，陈余没去，从此两人矛盾越来越深。不得已，张耳投靠了刘邦，陈余继续辅助赵王歇。

　　汉王二年，韩信和张耳一起率领9万人马，准备向东突破井陉这一重要关口，攻打赵国。赵王歇和成安君陈余听说汉军要来袭击，早就把军队聚集在那里，号称20万之多。这时广武君李左车向成安君陈余献计策：井陉的道路狭

■ 韩信画像

窄，车辆不能并行，根据这种情况，可以组成突击队拦截，死死困住他们，使敌军进退都不行。成安君陈余没有采纳广武君的建议。

　　韩信探听到广武君的建议没被采用，非常高兴，就大胆地率领部队进入井陉狭道，在离井陉关口30里的地方宿营。半夜里，韩信挑选了2000人，让他们每人拿一面红旗，抄小道上山，隐蔽起来，等赵军全部出动追赶汉军时，快速冲入赵军营中，拔掉赵军的旗帜，插上汉军的红旗。同时，韩信又让副将分头传令下去：等打垮了赵军好好会餐一顿。

　　韩信对军官们说："赵军已经抢先占据了有利地形，建造了营

■ 西汉·长信宫灯

史记故事中的大启发

垒，在他没有发现我军主将的旗帜和仪仗时，是不会出来攻打我军先头部队的，怕我们的主将和大部队跑掉。"于是，韩信派先头部队一万，出井陉关口，背靠黄河摆开阵势。天亮以后，韩信打起了主将的旗号，敲锣打鼓经过井陉关口。赵军看见了，就打开营垒，迎击汉军。

两军激战了很久，韩信和张耳假装战败，扔掉旗鼓，奔向河边阵地。赵军看见了，马上全部出动，争抢汉军的旗鼓，追杀韩信和张耳。韩信和张耳退到水边，不能再退了，就率领全军决一死战，赵军根本无法取胜。韩信原先派出的2000骑兵，见赵军阵营空虚，就冲过去，拔掉赵军的旗帜，竖起汉军的红旗。赵军在水边打不赢，就撤回营垒，但见营垒中到处都是汉军的红旗，于是纷纷往外逃。这时候，汉军前后夹攻，彻底打败了赵军，杀掉了成安君陈余，俘虏了赵王赵歇。

史记故事中的大启发

历史小测验 ■ 谁为民众请求耕种上林苑?

为百姓请求上林苑

　　有一次,汉高祖在平定了黥布军队的叛乱,率军队返回朝廷的半路上,有老百姓拦路跪在地上递上状告信,状告相国萧何贱价强买民众的田地、房宅,价值达几千万。

　　皇上回到京城,相国萧何求见,皇上笑着说:"相国可真是利国利民啊!"然后板起了面孔,把百姓的上告信甩给相国,说:"你自己向百姓去认罪吧!"相国心里明白,强买百姓的土地房屋,其实是朝廷的意思,自己并没有犯什么罪。于是相国趁这个机会为民众请求说:"长安的土地稀缺,而皇上

■ 萧何画像

的上林苑中有很多空地闲着,一片荒芜,不如让百姓进去耕种收粮,留下秸秆喂牲畜。"

　　皇上大怒说:"相国到底接受了商人多少好处?为他们请求我的上林苑!"于是把相国交给司法官戴上刑具,关押了起来。过了几天,有个姓王的守卫侍候皇上时问道:"相国犯了什么罪,陛下把他关押起来?"

　　皇上说:"相国大量收受奸商的贿赂,要让民众耕

■ 西汉·带座玉琮

史记故事中的大启发

种我的上林苑，来向百姓讨好。这样做太恶劣了，所以我把他关押起来了。"

守卫说："为百姓利益着想，是相国的职责，是他应该做的事情。陛下为什么要怀疑他接受了商人的钱财呢？当初，您在外与楚军对抗好几年，相国留守关中。只要他一句话，那么函谷关以西的土地就不归陛下所有了。相国不在那个时候谋利益，到了今天才贪图商人的钱财吗？"

皇上听了这话，很不高兴。但是，心里真的有些惭愧。当天晚上，就派人放了相国。相国年纪大了，一向谦虚有礼貌。放出来以后，马上去见皇上，他光着脚步行到宫廷，向皇上赔礼道歉。皇上先说话："相国不用说了，相国为百姓请求进上林苑耕种，我不允许，是我的过错。"

萧何一生简朴，所购买的田地、房屋都是在偏僻的地方，他也没有修建高楼亭阁。

■ 西汉·玉辟邪

史记故事中的大启发

从盗贼到将军

史记故事中的大启发

黥布少年时代,有人给他看相说:"你以后要受刑,受刑之后会封王。"到了壮年,他果然因为犯法而受黥刑(在脸上刺字,染成黑色)。受刑之后,黥布非常高兴,笑着说:"有人给我看相,说我受刑以后会为王,他说得真准啊!"旁人听了,都嘲笑他不知天高地厚。

黥布被定罪以后,押送到了骊山。骊山有罪犯好几十万人,黥布跟这些犯人中的大小头目关系都很好。不久之后,他率领一帮人逃到长江一带,成群结伙地抢人家的财物,成了一群盗贼。

陈胜起义的时候,黥布去见番县县令(县长)吴芮,与他一起聚集士兵几千人反抗秦朝。番县县令吴芮看出黥布很有前途,就

把女儿嫁给了他。黥布带兵向北攻打秦军,在清波打败了他们,再领兵向东前进。后来他看到项梁和蒲将军势力强大,就投靠了项梁。项梁率领军队渡过淮河,攻打秦军,黥布的部队总是勇敢地冲在前头。到了薛地,听说陈王(陈胜)死了,他们转而拥护楚怀王。后来,项梁战死,楚怀王把京城搬到彭城,黥布和将领们也都跟随到彭城驻军。

随后,在帮助赵国攻打秦军的时候,黥布率领的部队总是打头阵,最先进攻秦军。黥布的军队英勇善战,多次打胜仗,而且总是以少胜多。项羽带兵向西到达新安,又派黥布偷袭秦将章邯的部队,活埋了20多万人。到了函谷关外,进不去,他又派黥布偷袭关下的守军,这才进关,到了咸阳。到了咸阳之后,项羽奖赏各位将领,黥布因为经常担任先锋,战功累累,被封为九江王,建都在六县(今六安)。

■ 今日的骊山

164

答案 ■ 陈平。

陈平献计巧抓韩信

汉朝六年，有人告发楚王韩信暗中策划叛乱。高祖刘邦向各位将领征求意见，将领们说："赶快出兵攻打他，把这小子活埋算了。"高祖没有表态。退朝以后，去问陈平，陈平一再推辞，不愿说出自己的意见，反问高祖："将领们都说了些什么？"高祖把将领们的话都一一讲给他听。

陈平说："如今陛下的兵不如韩信的兵精，将领也赶不上韩信善战，如果发兵去攻打他，这无疑会促使他率兵起义反叛，这样做是很危险的。"高祖问："那该怎么办呢？"陈平说："南方有个云梦泽，陛下可以假装去那儿游玩，顺便在陈县会见诸侯。韩信听说天子出游，肯定不会有什么怀疑，一定会到郊外去欢迎陛下。会见时，陛下可以乘机逮捕他。这样，只要一个力士就能办到了。"

高祖觉得这个办法不错，于是就派人通知诸侯，让大家在陈县相会，说："我将南下，到云梦泽地区去游玩。"高祖出发，还没到达陈县，楚王韩信果然来到郊外迎接。高祖命令预先安排好了的力士，立刻把他逮住绑了起来，装在车厢里。韩信大喊："天下已经平定，我知道自己已经没有用了，所以你要杀我！"高祖回过头对韩信说："不要喊了，你想造反，谁都看得出来！"抓住了韩信以后，高祖在陈县会见诸侯，然后彻底平定了楚地。回到洛阳以后，高祖对韩信免除了刑罚，降他为淮阴侯。

刘邦封陈平为户牖侯，陈平推辞说："我没有什么功劳，不能要这个封赏。"高祖反驳说："我多次采用先生的计策，克敌制胜，这不是功劳是什么呢？"陈平回答："如果不是当初您的大臣魏无知，让我和您认识，我怎么可能进入朝廷做官呢？"高祖听了陈平的话很感动，说："先生真是不忘本啊！"

史记故事中的大启发

165

陆贾出使南越成功

史记故事中的大启发

陆贾是楚国人，曾跟随高祖平定天下。他口才好，辩论能力很强，时常替刘邦到诸侯各国访问谈判，总是能圆满地完成任务。

刘邦刚坐稳帝位，大臣尉他平定了南越以后，就在那里称了王，想对抗汉朝。高祖派陆贾到南越去，想授给尉他印章，封他为南越王。

陆贾到了南越，劝告尉他说："您是中原人，父母兄弟的坟墓都在中原。而您却想凭小小的越地与汉朝对抗，这是自找死路啊！"停了一下，他又接着说："大王您现在在南越称王，汉朝的文武大臣都主张出兵攻打大王，高祖却不同意，因为他怜惜百姓刚刚经过战争的苦难，不忍心再打仗。所以派我来授给您王印，允许您称王。这样的皇帝是多么仁慈啊！可是大王您竟然对抗强大的汉朝！如果高祖生气，毁掉大王的祖坟，杀灭您的宗族，然后再派10万军队兵临南越。

那么根本不用他们攻打您，越人自己就会杀死大王而投降汉朝。这对汉朝来说，可是易如反掌啊！"尉他听到这里，再也坐不住了，站起为向陆贾认错说："我在少数民族地区生活太久了，差不多忘掉了礼仪。罪过啊罪过！"然后，他又问陆贾："我跟皇帝高祖比，谁有才能？"

陆贾回答："皇帝从沛县中邑起义，讨伐秦朝，消灭楚国，替老百姓兴利除害，统治了全中国。中国的土地方圆万里，人口稠密，物产丰富，法令统一。大王怎么能跟汉朝皇帝相比呢！"二人聊了很久，尉他很喜欢陆贾，热情挽留陆贾留了下来，跟他一起饮酒聊天，高兴了好几个月。尉他很感激陆贾，赏给陆贾各种宝贝和礼物，价值几千两黄金。陆贾用带来的汉高祖的大印，封尉他为南越王，让他服从汉朝的统治。陆贾回朝廷汇报，高祖觉得事情办得圆满，非常高兴，任命陆贾为太中大夫。

■ 陆贾城故址

答案 ■ 燕国。

栾布视死如归

栾布是梁国人。当初，梁王彭越还是平民的时候，跟栾布的关系就很密切。后来，栾布做了燕国的将领。不久，燕王臧荼反叛汉朝，汉朝派兵来攻打，俘虏了栾布。梁王彭越听说了这件事，就把栾布赎了回来，让他担任梁国大夫。

栾布担任了梁国的大夫之后，经常出使各国。有一次，在他出使齐国的时候，汉朝征召彭越，以彭越谋反的罪名，杀尽三族。然后，把彭越的头悬挂在洛阳城门下示众，并且下令说："有胆敢收尸的，就逮捕他。"不久，栾布从齐国回来，听说彭越被杀，非常伤心，就到彭越的首级下面汇报工作，一边说话，一边痛哭。官吏逮捕了栾布，并报告皇上。皇上见到栾布，大骂："你是不是也跟彭越一起造反啊？我命令任何人不准收尸，你偏偏要祭他哭他，这不明摆着是跟彭越一起造反吗？我不烹杀你，留你干什么！"

栾布被推向汤锅的时候，回头对皇上说："希望能让我说一句

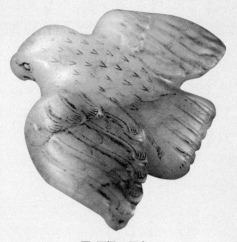

■ 西汉·玉鹰

话再死！"皇上问："什么话？你说吧。"栾布回答："当初皇上在荥阳、成皋一带被项羽打败以后，项羽之所以没有乘胜向西前进，是因为梁王在梁地阻挡了他，才使皇上没有遭到追击。当时，梁王的势力很重要，他跟楚国联合，汉朝就失败；他跟汉朝联合，楚国就失败。再说，您和项王在垓下会战，如果没有梁王，项王也不会失败。如今陛下向梁王征兵，他因为生病不能前来，陛下就疑神疑鬼，以为他要造反，就杀掉了他！他已经死了，我也不想活了，我愿意接受烹刑。"皇上听了，很感动，免去栾布的罪过，任命他做都尉，掌管军事。

汉文帝时，栾布当了燕国的丞相，做了将军。

167

历史小测验 ■ 汉高祖时，匈奴的君主是谁？

用和亲平定匈奴

刘敬，本来姓娄，叫娄敬。他最先建议把都城设在咸阳。所以皇上说："最先建议在咸阳建都的人是娄敬，'娄'其实就是'刘'嘛！"于是让他改姓刘，任命他为郎中，号称奉春君。

汉高祖七年，韩王造反，汉高祖亲自率军队攻打他。到达晋阳时，听说韩王勾结匈奴，想共同进攻汉军，皇上非常愤怒，于是派人出使匈奴。匈奴把那些强壮的士兵和肥大的牛马都隐藏起来，只让年老体弱的士兵和瘦小的牲畜

出现。汉朝派来的10多批使者回朝廷报告，都说匈奴势力薄弱，可以攻打。皇上又派刘敬出使匈奴，他回来报告说："两国打仗的时候，应该夸耀显示自己的长处。这次我到匈奴，却只看见一些老弱的士兵和瘦小的牲畜，这必定是故意显示力量弱小来迷惑我们，然后出奇制胜。所以我认为不要轻易进攻匈奴。"

皇上听了刘敬的话，很生气，大骂刘敬："你这个奴才！你竟敢胡言乱语阻止我出兵。"下令把刘敬关押在广武，戴上刑具，等候

■ 西汉·动物纹金牌饰

史记故事中的大启发

■ 西汉·四神纹玉铺首

处理。汉军继续前进，到达平城时，匈奴果然出动奇兵，把汉高祖围困在白登山，整整七天之后高祖才得以解围。汉高祖突围出来，跑回到广武，立刻释放了刘敬，并向他承认了错误，斩杀了那些说匈奴可以攻打的人。

当时，冒顿为匈奴的君主，兵力强大，光是射手就有30万，多次侵扰汉朝北部边境。皇上很担心匈奴的威胁，向刘敬征求意见。刘敬说："对于冒顿这种野蛮的人，是不可能用仁义说服的。要用结亲的办法来解决。陛下

如果能把皇后亲生的大公主嫁给冒顿，再赠送丰厚的礼物，那么问题就解决了。您把女儿嫁过去，匈奴必定让她做他们的皇后，那么您女儿所生的孩子必定是太子，将来必定会接替冒顿。冒顿在世，他就是汉家的女婿，不可能跟汉朝对抗；他死了，您的外孙就会成为匈奴的君主，哪有外孙跟外公对抗的事呢？"

汉高祖同意刘敬的说法，但是吕后不同意，于是就选了一个宫女，冒充大公主，嫁给匈奴冒顿，派刘敬去签订和亲条约。这样一来，并未出动军队，就解除了匈奴的威胁。

史记故事中的大启发

169

周昌冒险保护赵王

周昌是沛县人，秦朝的时候做过小官。汉高祖在沛县起义之后，他就开始跟随刘邦。

周昌为人坚强刚正，敢说敢道，就连萧何、曹参等人对他也是既尊敬又害怕。后来，汉高祖想要废了原来的太子，立他宠爱的戚姬的儿子如意为太子，大臣们极力劝阻，但毫无作用。于是周昌上朝劝阻，他态度强硬，语言诚恳。

■ 汉高祖画像

皇上问他为什么不能另立太子，周昌天生说话结巴，断断续续地回答说："我口头上说不清楚，但我知道……这不行。陛下要……要另立太子，我……我不能同意。"皇上听了，忍不住笑了起来。退朝后，躲在东厢房偷听的吕后见到周昌，感谢他说："如果没有您，太子几乎要被废弃了。"

后来，戚姬的儿子如意没有成为太子，而是被封为赵王。当时赵王年仅10岁，高祖担心自己死后他不能保全自己。周昌手下有个叫赵尧的人，年少聪慧，知道高祖的忧虑后，向高祖推荐周昌保护赵王。高祖于是就把周昌找来，对他说："我现在没有其他的办

■ 西汉·陶射俑

■ 西汉·彩绘卷云纹漆盂

法，不得不麻烦您了，请您帮我去辅助赵王吧！拜托了！"

周昌流着眼泪说："当初陛下刚起义的时候，我就开始跟随陛下，有几十年了！陛下为什么非要让我去呢？"高祖说："我也知道对您来说，这是降职，但我实在是太担忧赵王了。想来想去，除了您就没有更合适的人了。您就委屈一些去吧！"于是，御史大夫周昌被调任为赵国的相国。

汉高祖刘邦去世以后，吕后掌握朝廷大权，想把刘家天下变为吕氏天下，就派人去召赵王，想杀掉他。赵国的相国周昌识破了吕后的企图，就让赵王借口生病，不去见吕后。派来的人催促几次，周昌还是坚决不让赵王去。吕后有点担忧，就派人去找周昌。周昌来到长安拜见吕后，吕后大骂周昌："你怎么这样不知好歹，竟敢不让赵王回京，你到底想怎么样？"周昌坚决不认错，被吕后扣留。接着，吕后又派人去召赵王，赵王没有办法，就来到了长安。一个多月后，吕后毒死了他。从此以后，周昌总是以生病为借口，拒绝再见吕后，三年后愁闷而死。

史记故事中的大启发

卫绾对人忠厚

建陵侯卫绾，最初因为善于赶车而当上了郎官，专门侍候汉文帝，后来因为连续立功而升为中郎将，虽然没有别的才能，但忠厚严谨超过一般的大臣。

汉景帝做太子的时候，有一次请皇上身边的人一起喝酒，卫绾说生病没有来，太子心里多少有些不高兴，后来，文帝去世，景帝继位，卫绾继续侍候景帝。

有一次，景帝去上林苑，命令卫绾和他一起坐车去，回来时他问卫绾："你知道自己为什么能陪同我一起坐车吗？"卫绾回答："我只知道踏踏实实地做事，但不知道为什么能受到这样的重视。"

皇上接着问："我做太子时，叫你来喝酒，你不愿意来，为什么？"卫绾回答："臣罪该万死，不过我确实是生病！真的是生病！"景帝看他一脸真诚的样子，相信了他，从此才真正原谅了他。过后不久，皇上授给他宝剑作为奖赏，卫绾不要，说："先帝（文帝）赏给我的宝剑，已经有六把，我不敢再接受了。"皇上问："很多人都喜欢宝剑，你多了可以用来交换别的宝剑，或者卖了赚钱呀，难道你的宝剑一直留到现在？"卫绾回答："都在。"皇上让他拿来

史记故事中的大启发

172

那六把宝剑，果然宝剑还在鞘中，都没有使用过。景帝非常感动。

卫绾对自己要求很严格，对别人很宽容。很多时候，郎官们犯了错误，都是由卫绾来顶罪承担；而他有了功劳，却常常让给别的中郎将。皇上认为他廉洁公正，忠厚而没有鬼主意，就任命他为河间太傅，辅导河间王。吴、楚两王造反时，皇上任命卫绾为将军，率领河间的部队攻击吴、楚的军队，卫绾杀敌有功，被任命为中尉。三年后，又因为打仗有功，被封为建陵君。

后来，汉景帝废弃太子刘荣，准备杀死太子的同伙栗卿等人。皇上认为卫绾太忠厚，要是让他去杀栗卿，他肯定不忍心，于是让他回家休假，派郅都杀了栗卿全家。之后，皇上立胶东王为太子，任命卫绾做太子太傅，辅导太子。后来，卫绾当上了丞相。

■ 汉景帝阳陵

历史小测验 ■ "萧规曹随"中的"萧曹"各指的是谁?

萧规曹随

汉惠帝二年，相国萧何去世。他病危时推荐曹参接替他的职务。曹参继承萧何的事业后，对所有的规章制度、办事方法等等都没有进行丝毫的改动，一切都按照萧何制定的规章制度去办。所以如果没有什么紧急的事情需要处理，他就日夜痛饮美酒。下级官员和宾客看到曹参整天什么事情也不做，就上门进行劝告。可是客人一到，曹参就拿出美酒，堵住他们的嘴，过一会儿，客人刚要张嘴劝告，曹参就又递上酒让他们喝，直到他们喝醉离去，始终不给客人开口劝说的机会。

汉惠帝对相国曹参不干什么事情，很有意见，心里想："作为相国，他不干什么事，这不是轻视我吗？"于是惠帝对曹参的儿子说："你回家去，平心静气地试着

■ 汉惠帝陵出土的陶牛

■ 曹参画像

问你父亲：'高祖刚刚去世，新皇帝还年轻。你担任相国，整天饮酒作乐，总是不向皇帝请示汇报工作，你是根据什么来治理国家大事的呢？'你这样问他，但不要说是我让问的。"

曹参的儿子假日回家，就按照皇帝的意思去劝说父亲。曹参一听就非常愤怒，立刻打了他200大板，然后对儿子说："赶快进宫去侍候皇帝，天下大事不用你乱说。"

史记故事中的大启发

答案 ■ 萧何、曹参。

上朝时，惠帝责备曹参："你为什么要惩罚你儿子？是我让他劝你的。"曹参马上脱帽赔罪说："请陛下仔细想想，要论圣明威武，你和高帝（刘邦）相比，谁更强？"

皇上答："我怎么敢跟高帝相比呢！当然是高帝更强。"

曹参又说："陛下您看，我的才能和萧何相比，谁更厉害呢？"

皇上答："好像萧何更强一点。"

曹参说："陛下说得很对。高帝和萧何制定的法令已经很明确了。如今，我只要牢记自己的职责，照萧何的办法去做不失职，不就行了吗？"惠帝同意了他的看法。

三年后，曹参病死。百姓编了一首歌来赞颂他。歌词大意是：萧何制定的法规明确又齐全，曹参遵守实行而不变，从而使得天下太平，民众祥和。

■ 汉惠帝安陵

史记故事中的大启发

朱建救辟阳侯

史记故事中的大启发

平原君朱建口才好，能言善辩。他廉洁正直，有主见，不随波逐流，所以很受大家尊重。当时，辟阳侯行为不正，他想和平原君交朋友，但平原君不肯接见他。后来，平原君的母亲去世，因为家里很穷，没有办法出葬。陆贾向来跟平原君很要好，就想出了一个办法，叫平原君向别人借钱马上给母亲出殡，随后，陆贾偷偷跑去会见辟阳侯，利用辟阳侯想跟平原君交朋友的心理，让辟阳侯带上丰厚的礼物去参加平原君的母亲的丧礼。辟阳侯于是就带上100两黄金前去送丧。其他一些官员和贵人见辟阳侯亲自出席平原君母亲的丧礼，他们也纷纷去参加，送来的丧礼共计黄金500斤。

因为辟阳侯为非作歹，得罪了人，所以有人跑到汉惠帝那里揭发辟阳侯的问题。汉惠帝非常气愤，想杀掉他。辟阳侯心急如火，想让平原君给想办法。平原君推辞说："现在官司闹大了，我可不敢会见您！"随后，平原君暗中去找惠帝喜欢的大臣闳籍孺，说服他："辟阳侯是太后偏爱的人，

■ 西汉·木版画

如果辟阳侯真的被杀，那么太后就会恼怒，也会找茬杀死您。您为什么不去替辟阳侯向皇帝说说情呢？皇帝如果听从您的意见，释放了辟阳侯，太后必然很高兴。这样，您就会得到皇帝和太后两位主上的信任，那您的富贵可就加倍了啊！"闳籍孺听从了平原君的意见，进宫劝说皇帝，皇帝果然释放了辟阳侯。辟阳侯被释放后，知道了事情的真相，非常感动。

到了汉文帝的时候，淮南王杀死了辟阳侯。文帝听说平原君曾经为辟阳侯的得救出过力，就派人去逮捕平原君，准备惩罚他。被派的人来到平原君门前，平原君想："我一死，祸根就断了，就不会连累家人了。"随即就自杀了。

答案 ■ 淮南王。

暗杀被查出来以后

汉景帝二十九年十一月，景帝废了栗太子。窦太后很想立梁孝王刘武做继承人，就去劝说景帝。大臣和袁盎等人不同意窦太后的想法，就拿出立太子的法规给景帝看，认为窦太后的想法不符合法规，并劝阻景帝。景帝听从了大臣们的劝说，不再提立梁孝王当继承人这件事。梁孝王知道了，就告别回国了。

同年夏天，景帝立胶东王为太子，梁孝王想当继承人的事就彻底完了。于是梁孝王对袁盎等人特别仇恨，就和羊胜、公孙诡等策划，暗中派人去刺杀袁盎等人。刺客刺杀袁盎时，一剑刺中了袁盎，然后就跑掉了，把剑留在了袁盎身上。袁盎没被刺死，查看刺客用的剑，发现是新制造的。审案的官员顺藤摸瓜，寻找剑的来源，最后找到了梁孝王那里。梁孝王企图造反的事实摆在眼前，梁孝王的母亲窦太后万分焦急，吃不下饭，睡不着觉，日夜哭泣。景帝非常忧虑，于是就派田叔和吕季王去处理这个案子。

两个人到了梁国，查清整个事件以后，一把火把梁孝王造反的书面供词统统烧掉，空着手回到京城，向景帝汇报。景帝问："这件事办得怎么样？"二人回答：

■ 汉景帝陵出土的陶俑

历史小测验 ■ 太史这一官职是负责什么事务的?

史记故事中的大启发

"梁孝王不知道这件事,策划这件事的,只不过是他手下的臣子羊胜和公孙诡等人。我们已经按照法律杀了他们,梁孝王平安无事。"景帝听了,非常高兴,又吩咐他们去告诉窦太后。窦太后听说后,心情特别舒畅,吃饭也香了,觉也睡稳了。

事情虽然平安地过去了,但是从这以后,景帝对梁孝王很怨恨。梁孝王害怕以后遭到祸灾,总想设法见到太后和景帝,向他们认错,从而得到宽恕。后来梁孝王背着刑具,低着头来到宫门前,表示承认错误,赔礼道歉。太后和景帝看到了,都非常高兴。三人相对哭泣,感情又跟从前一样了。

■ 窦太后陵

答案 ■ 记载历史、编写史书。

郑庄经历人情冷暖

郑庄，姓郑，名当时，陈郡人。

汉景帝的时候，郑庄担任太子舍人，侍候太子。每逢假日，他都要到长安各郊区去购买马匹，用来问候那些老朋友，邀请拜谢宾朋。后来，他任太史（记载历史、编写史书的官）时，经常告诉属下的人："如果有客人来，无论是尊贵的，还是贫贱的，都不要让人家在门口苦等。"每次来人，他都做到有礼节，从来都是谦虚恭敬，从来不依仗自己的尊贵看不起别人。郑庄廉洁，他送给别人的礼物，不过是用竹器盛着的食物，并不让别人觉得太贵重而不好接受。

■ 西汉·带罩铜灯

每次上朝，要是有机会向皇上提建议，郑庄必定要向皇上推荐德高望重的人。他从来都说他推荐的人比自己有德有才。为了表示尊重，他从来不直呼这些人的名字，总是很恭敬的样子。他这种舍己为人、对人谦虚尊重的品格，得到了大家一致的称赞。他的名气越来越大，来投奔他的人也越来越多，车马来往不断。因为他的朋友遍天下，所以他去哪里都像回家一样方便。民间都这样说："郑庄出行，1000里也不用带粮。"

■ 西汉·鎏金铜马

史记故事中的大启发

179

　　郑庄晚年时，向朝廷推荐了几个人，这几个人替大农令（官名）承办运输业务，结果不但没挣钱，还赔了很多钱。司马安担任淮阳太守，他揭发这几个人贪污受贿，郑庄也被牵连进去，落下了罪责，被降为平民。

　　郑庄当初做大官，为人廉洁，品行好，吸引了不少人，很多人争先恐后地投奔他。后来被罢官，当了平民，家里贫穷起来，投奔他的人越来越少。到了最后，家里穷得除了四面墙壁，什么都没有，这时谁也不来关照他了。

　　曾经有人写过一幅大字，说出自己的体会，意思是：不管你是富裕还是贫穷，是尊贵还是卑贱，是活着还是死了，都始终对你友好，那才是有交情，感情深。如果不是这样，那就是没交情，感情浅。这也是郑庄的体会吧！

窦婴慷慨无私

魏其侯窦婴,从小就豪放直爽,并有宽容谦让的品格,喜欢结交朋友。汉景帝刚继位时,窦婴担任詹事,负责辅导太子。

梁孝王是汉景帝的弟弟,母亲窦太后很喜欢他。有一次,梁孝王和哥哥汉景帝一起喝酒。这时汉景帝还没有立太子,喝酒喝得正高兴,皇上就随便说:"我去世后把皇帝的位子传给梁孝王。"窦太后听了,非常高兴。窦婴这时却举起一杯酒献给皇上,然后说:"从来皇位都是父亲传给儿子,这是汉朝的规定,皇上怎么能把皇位传给弟弟呢!"太后听了这话以后,就憎恨窦婴。窦婴也嫌官小,借口生病辞职了。

汉景帝三年,吴、楚等七王反叛,国家特别需要有才能的将领去平定叛乱。皇上考察了许多人,

■ 西汉·铜雁鱼灯

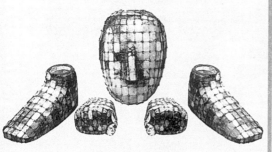

■ 西汉·金缕玉罩

没有一个能比得上窦婴的。于是就派人去找窦婴,要让他担当重任。窦婴进宫拜见皇上,借口生病,不能当将领率兵打仗。太后见窦婴这样,也感到十分惭愧。皇上说:"国家正有危难,你难道眼睁睁地看着不管吗?"于是任命窦婴为大将军,给他黄金1000斤。窦婴把闲着在家没事的袁盎、栾布等著名的将领和文官推荐给景帝。他把皇帝赏的黄金,都摆放在廊

史记故事中的大启发

史记故事中的大启发

檐下,下级军官经过时,就让他们拿去用,他自己没拿一点回家。

窦婴驻守在荥阳,监督攻打齐、赵的军队。后来,吴、楚等七王的军队全部被打败,景帝按照窦婴的功劳封他为魏其侯。汉景帝四年,栗为太子,魏其侯任太子的老师,辅导太子。汉景帝七年,栗太子被废掉,魏其侯多次劝说皇上也不起作用,于是就借口有病,居住在蓝田县南山下有好几个月,许多朋友去劝说他也不回来。

梁地人高遂劝魏其侯说:"能够使将军富贵的,是皇上,能够信任将军的,是太后。将军作为太子的老师,太子被废掉,您去阻止没能成功,您就借口有病在家闲着,这不明明是和皇上过不去吗?如果皇上和太后都要整治将军,那您的妻子、孩子一个也逃不了。"魏其侯窦婴认为他说得对,就回来照旧工作了。

答案 ■ 窦婴。

韩安国为梁王说情

御史大夫韩安国，侍候梁孝王。因为梁孝王是汉景帝的同母弟弟，母亲窦太后又特别喜欢他，所以他非常骄傲。他的出行铺张奢侈，可以和皇上相比。皇上听说了，心里很不高兴，就把怒气撒在梁国大使的身上，不接见大使。韩安国那时担任梁国的大使，就去见大公主（皇上的大女儿），哭着说："为什么梁王的孝心、忠心，太

■ 西汉·包金卧羊带饰

后竟不知道？前些时候，吴、楚、齐、赵等七王造反时，只有梁王最忠于皇上，阻挡叛军的进攻，保卫了朝廷。梁王一想到太后、皇上

史记故事中的大启发

183

史记故事中的大启发

在首都的安全,就特别担心,泪流不止。他长时间跪着送我们六人带领军队,击败吴、楚军,这是梁王的忠心和力量啊!梁王出行铺张奢侈一些,是想在偏僻的县城显示一下,让天下人都知道太后、皇上都喜欢他。如今梁国大使来到,受到查问责备,使梁王很害怕,日夜哭泣思念,不知道做什么好。为什么梁王的孝心、忠心,得不到太后的同情和爱护呢?"大公主把这些话都告诉了太后,太后很高兴。太后又把这些话告诉了皇上,皇上心里的疙瘩才解开了,而且脱下帽子向太后认错。然后接见了梁国的使者,并赠给他们丰厚的礼物。从那以后,梁孝王更受到宠爱。大公主又赏给韩安国大约价值1000多两黄金的财物。韩安国的名声更大了。

后来,韩安国因为犯法被判刑,关押在蒙县的监狱。监狱官田甲羞辱韩安国。韩安国说:"死灰

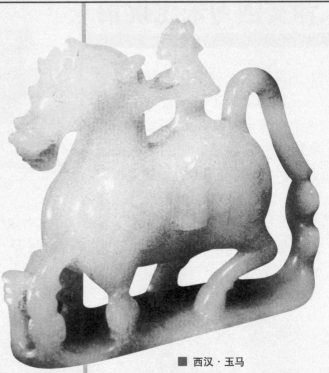

■ 西汉·玉马

难道不会再燃烧吗?"田甲说:"再燃烧就撒泡尿浇灭它。"没过多久,梁国缺内史官,皇上派人任命韩安国做梁国的内史。从罪犯到担任内史,简直是一步登天。听到这个消息,田甲吓得逃跑了。韩安国吓唬说:"田甲如果不回来工作,我灭掉他的全家!"田甲于是光着上身来找韩安国承认错误。韩安国笑着说:"你可以撒尿了!你们这些卑鄙小人值得我惩罚吗?"他最后还是和这些人友好相处,不计较个人受到的羞辱。

答案 ■ 韩安国。

汲黯躺着治理淮阳

汲黯，汉景帝时期担任太子洗马（太子外出时的先行官）。他做事严肃认真，大家对他都很敬畏。汉景帝去世后，太子即位，汲黯担任谒者（把意见书报告给皇上的官）。

有一次，河内郡发生火灾，大火蔓延，烧了1000多户人家。皇上派汲黯前去视察。他回来报告说："普通人家失火，是由于房屋互相连接，造成大火蔓延，事情好解决，不值得担忧。值得担忧的事情倒是：我经过河南郡的时候，发现当地的百姓受到水灾旱灾，有一万多家没办法生活，有的甚至出现父吃子肉，子吃父肉的现象。所以我反复考虑，就拿着您给我执行命令的凭证，命令河南郡的官员打开粮库，向受灾的百姓发放粮食，救济他们。我自作主张，请求您处罚我。"皇上听了，不但不生气，反而认为他很善良，提升他担任荥阳县令。汲黯不愿意当县令，就借口生病回到了乡下，皇上知道了，就让他担任中大夫。后来，又提拔他担任东海郡太守。

汲黯管理东海郡的时候，只处理一些关键的事务，具体的小事，都让底下的官员去做。汲黯体弱多病，经常躺在卧室内处理重要事务。东海郡在他一年多的管理下，十分太平，大家都称赞他。皇上听说了，称赞他是安邦定国的人才。

■ 西汉·五铢钱

过了几年，汉朝改铸五铢钱（重量有二钱多），百姓中有很多人私下铸出假钱，楚国尤其严重。因为汲黯是淮阳人，所以皇上就任命他为淮阳太守，去治理楚国。汲黯不愿意去，皇上劝他说："你看不上淮阳吗？其实淮阳是个很重要的地方。考虑到淮阳地方官与百姓关系紧张，我只好让你去，你的威望高，一定能把那里管理好。"

汲黯来到淮阳，像以前治理东海郡那样，把淮阳郡治理得井井有条。

史记故事中的大启发

185

博士被逼杀猪

史记故事中的大启发

辕固生,是齐国人。他因为研究《诗经》而出名,在汉景帝时担任博士。

窦太后喜欢老子的学说。有一天,她把辕固生找来,问他有关《老子》一书的问题。辕固生轻描淡写地回答说:"《老子》只是普通人的言论罢了,没有什么,不值得深入研究。"窦太后听他这么一说,怒气冲天,骂道:"胡说!这样有很深学问的书,怎么能跟一般人的书相提并论?"接着又咒骂了辕固生一通,觉得还不解恨,就命令知书达理的辕固生到猪圈里去杀猪,他要是抓不到、杀不死猪,就要接着惩罚他。汉景帝听说了,知道窦太后成心找辕固生的麻烦,辕固生说话虽然直截了当,但是没什么错,于是就找来一把非常锋利的大刀,给了辕固生。辕固生拿着刀,跳进猪圈,看准一头猪,一下就刺中了它的心脏,猪立刻倒在地上。太后看了,沉默不语,

不好再惩罚辕固生,只得罢休了。

过了不久,汉景帝考虑到辕固生廉洁正直,就任命他为清河王的太傅,辅导太子学习。辕固生做这项工作很长时间,后因生病才免去这个官职。

汉武帝继位之后,皇帝在全国范围内征召德才兼备的人士。辕固生听说了,于是就整理行装应召上京。那些溜须拍马的人忌妒辕固生的才华,怕他受到皇上的重用,都攻击他说:"辕固生老了,没用了,现在只是徒有虚名了!"皇上听了,觉得有理,就罢了他的官,让他回老家了。当时,辕固生确实是老了,已经有90多岁了。

喜 相 逢

汉文帝的窦皇后有个哥哥，叫做窦长君，有个弟弟叫做窦广国，字少君。少君四五岁的时候，由于家里贫寒，被人抓去卖了，家里人也不知道他被卖到什么地方。少君被转卖了10几家，后来到了宜阳。在宜阳，少君为主人进山烧炭。晚上，100多人就睡在山崖下面，山崖倒塌，睡在下面的人全部都被砸死或压死，只有少君侥幸脱险。少君特别高兴，就自己占卜，结果说他几天里就会被封侯。

少君当机立断，马上就跟主人去了长安。在长安，少君听说窦皇后是新立的，老家在清河观津。少君被卖时虽然很小，但还记得老家的县名和自己的姓氏。他还记得小时候曾经和姐姐一起采桑叶，从树上摔下来。他用这些作证

■ 西汉·窦皇后陵出土的陶俑

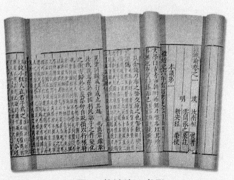

■ 《盐铁论》书影

据，写信给姐姐窦姬（窦皇后），说明自己的身世。窦皇后把这件事告诉了文帝，文帝于是下令召见少君。少君见到文帝后，详细地讲述了自己的情况，果然都相符。文帝又问他有什么凭证，他回答说："姐姐离开我时，与我在驿站告别。姐姐还向别人要来了洗澡用具，给我洗澡，又要来饭给我吃，然后才离去。"皇后听了，紧紧地

史记故事中的大启发

拉住弟弟的手，泣不成声，涕泪纵横。左右侍从都被感动了，也伏在地上哭泣。一切都安定以后，长君和少君都得到了丰厚的奖赏。皇后的其他同族兄弟也都得到了封地，并定居在长安。

绛侯和灌将军等人说："我们这些人，只要不死，命就掌握在这两个人手里。他俩来自没权没势的家庭，没受过什么教育，须得为他们挑选最好的老师教他们。不这样的话，弄不好又会像吕氏那样，闹出大事来。"于是，就挑选了最好的老师教育他们，影响他们。在这种情况下，长君、少君成了懂得礼貌有知识的人，现在虽然自己地位尊贵，但是对别人从来不傲慢、不霸道。

文帝去世以后，景帝继位，窦少君被封为章武侯。当时长君已经去世，景帝就封他的儿子彭祖为南皮侯。

答案 ■ 石奋。

万石君家教很严

万石君原来叫石奋。他15岁时做小官,侍候汉高祖。石奋家里很穷,上有母亲,双目失明,还有一个姐姐,擅长弹琴。于是高祖叫他姐姐来,封为美人,让石奋担任中涓,兼管传达,并且把他家迁到长安城里的戚里。汉文帝时,石奋当上了大中大夫。他没有文才学问,但为人恭敬严谨,因此不久,他便接替张相如,当

■ 西汉·彩绘云纹漆卮

上了太子太傅,辅导太子。汉景帝即位时,任命石奋为九卿。后来,又任命他为诸侯国的相国。

石奋有四个儿子,他们都和他一样,品德善良,孝敬父母,办事严谨。

汉景帝晚年,已为上大夫的万石君回家养老。他的子孙做小官,回家来见他,他一定会穿着上朝的服装接见,不称呼名字,称呼官名。如果哪位子孙有错误,他或者是严厉地批评,或者是静静地坐着,不吃饭。直到儿孙们互相批评,然后光着上身,态度诚恳地承认错误,并且保证改正错误,他才转怒为喜。已成年的儿孙,即

■ 西汉·骑兵俑

使平常在家，也一定要戴着礼帽，非常严肃整齐的样子。皇上经常派人赏给他家食物，每次万石君都跪下叩拜，低着头吃，好像皇上就在眼前一样。子孙听从他的教导，也和他一样为人处事。

万石君晚年搬到陵里居住。有一次，他的小儿子内史（官名）石庆喝醉了回家，进入外门没下车。万石君听说了，气得不吃饭。石庆很害怕，就光着上身去承认错误，万石君就是不原谅他。最后，石庆带着全家人，还有哥哥石建，都去认错，万石君责备他们说："内史是做大官的人，进入乡里，乡里的长辈都让开，而石庆却坐在车里扬扬得意，太不应当了！"

由于万石君的家庭教育很严格，他的子孙都很孝敬，大儿子石建最为突出。他每次休假回家，总要偷偷地拿来父亲的内裤和便器，亲自洗好，再放回原处，不让万石君知道。

史记故事中的大启发

190

吕后夺权

汉高祖刘邦的妻子吕后，一直参与管理朝廷大事。她生有一儿一女，儿子就是后来的惠帝，女儿叫鲁元。刘邦为汉王以后，在定陶得到一美女，叫戚姬，汉王特别爱她。戚姬生了一个儿子叫如意。因为孝惠仁义、慈善、软弱，汉高祖想废了他的太子身份，改立如意为太子。汉高祖这个打算对吕后的地位来说，是一个最大的威胁。于是吕后设法请来四位有才德的老人帮忙，才使汉高祖换太子的事没办成。因此吕后最恨戚夫人，高祖去世后，她就将戚夫人关押起来，并毒死了她的儿子赵王如意。

吕后觉得把戚夫人关押起来还不够解恨，于是就把她的手脚都砍掉，挖去她的眼珠，烧焦她的耳

■ "皇后之玺"，吕后生前御用之宝。

朵，给她吃哑药，并且要孝惠帝去参观。孝惠帝因为受刺激太大而病死。

孝惠帝去世，太后只是干哭，没有一滴眼泪。当时留侯张良的儿子张辟强担任侍中，只有15岁。他想到吕后不悲痛的原因，就对丞相陈平说："您现在应该请求太后，建议太后任命她的侄儿吕台、吕产、吕禄为将军，统领南北各路

■ 西汉·彩绘陶负鼎鸠

的军队，并且让吕家人都进入朝廷做官掌权。这样太后就会安心，你们大臣的地位才可以保住。"丞相听了，就按照张辟强的计策去做。太后果真非常高兴，放松下来，才真正为惠帝的死感到悲痛。从此，吕家的人开始在朝廷掌权。

吕后的长女嫁给了宣平侯张敖，而张敖的女儿又做了孝惠帝的皇后。吕太后因为这种亲上加亲的关系，所以总是千方百计想让孝惠帝的皇后生儿子，好掌握朝中大权，但皇后最后还是没能生儿子，于是皇后只好假装怀孕，把宫女生的儿子抢过来，冒充是她生的。然后，吕后把这个宫女杀掉灭口。后来，孝惠帝去世时，继承皇位的人还没确定，于是吕后掌握了实权，吕氏子弟都被封为王侯，看上去，吕家掌握了朝廷大权，实际上吕家的地位很不牢固。

留侯的主意真灵

孝惠是汉高祖刘邦和吕后生的儿子，他为太子时，高祖想废了他的太子身份，改立戚夫人的儿子赵王刘如意为太子。皇上的这个打算对吕后掌握朝廷大权是个威胁，所以吕后心里很恐慌，不知道怎么办才好。有人给吕后出主意说："留侯张良有计谋，而且皇上也信任他。你可以找留侯帮忙。"

吕后于是就派建成侯吕释之找来了留侯。张良对吕后说："现在，高帝是天子，谁都得听从他的。全天下只有四个人可以不听从高帝的。现在他们都住在山里。你可以准备大量的金银财宝，让太子写封信，语言要谦虚，再准备好安稳舒适的车辆，派一个能说的人带着这些去请这四个人，他们肯定会来。来了以后，要把他们当做贵宾，让他们经常随太子上朝。这样，文帝一定会看到他们，这对太子将是一大帮助。"于是，吕后按照留侯所说的，把那四个人请来，安排到建成侯吕释之家里。

有一次宴会，那四个人跟随着太子来到皇上身旁。他们都已

经80多岁，须眉雪白，衣帽奇特。皇上见了，感到奇怪，问道："你们是干什么的？"这四个人说出了自己的姓名，皇上听了，大吃一惊，说："我找你们多年了，如今为什么主动跟随我儿子呢？"四个人都说："我们听说太子仁义孝顺，对人恭敬有礼，而且还尊重有知识的人，全天下的人都很想为太子效力，所以我们也来了。"皇上说："好吧，就请各位好好调教太子。"

四个人说了些祝福的话就走了。皇帝叫来戚夫人，指着那几个人说："我本想更换太子，但是，那四个人协助太子，无法更换了。以后，吕后真的是你的主人了。"戚夫人听了，痛哭流涕。皇上安慰她几句，起身离去，酒宴不欢而散。

史记故事中的大启发

申培公用《诗经》育人

史记故事中的大启发

申培公是鲁国人。吕太后时期，申培公到长安交友、上学，他与刘郢是同学。不久，刘郢做了楚国的楚王，让申培公做他太子刘戊的老师。刘戊不好好学习，申培公总是严厉地批评他，所以刘戊对申培公特别憎恨。楚王刘郢死后，刘戊继位为楚王，就把申培公关押起来，侮辱他。后来，申培公忍受不了这种羞辱，就回到鲁国，在家里教书为生，终身不出家门，也不与宾客来往，只有鲁国的鲁王召见他，他才去。

各地的百姓都知道申培公有学问，都赶来向他学习，光是从远方来的就有一万多人，申培公精通《诗经》，只用这本书作教材，向学生传授知识，讲明做人的道理。有许多人通过向申培公学习《诗经》，成了国家的优秀人才。比如兰陵人王臧向申培公学习《诗经》后，去侍候汉景帝，担任太子的老师，辅导太子学习。后来又当了郎中令（皇帝身边亲近的官职）。再比如，赵绾也曾向申培公学习《诗经》，后来当了御史大夫（中央最高长官，相当于皇帝的秘

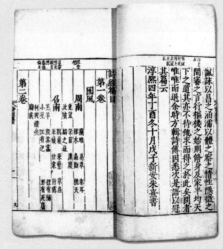

■ 《诗经》书影

书长）。

赵绾、王臧做官之后，一起建议皇上修建明堂（殿堂），用来召集诸侯开会，但是这件事没办成。

当时的窦太后对赵绾和王臧建议建立明堂不同意，就调查这两个人，寻找他们的过错，然后报告给皇上。皇上于是停止了修建明堂的事，把赵绾和王臧交给司法官处理。两人有口说不清，都自杀死了。申培公看到自己的学生就这样死了，很灰心，几年后死在了家里。

申培公培养教育的学生都很出色，当博士的有 10 多人，也有好几个做到高官。这些人在官府做事，都能廉洁奉公，受到了百姓的称赞。

答案 ■ 刘章。

刘章唱耕田歌

齐哀王三年，刘肥（齐悼惠王，已去世）的弟弟刘章进入汉朝宫廷，吕太后封他为朱虚侯，还把吕禄的女儿嫁给了他。四年后，刘章的弟弟刘兴居被封为东牟侯，在首都长安宫廷担任值班的守卫。

朱虚侯刘章20岁，身体强健，有雄心壮志，可是因为吕氏独揽朝中大权，自己得不到重用，所以常常愤愤不平。有一次，刘章在酒宴上侍候高后（吕太后），高后让他专门管喝酒。刘章不高兴，就上前请示说："我来自将门家庭，请允许我按军法行酒令。"高后说："好的，可以。"酒宴达到了高潮之后，刘章让演艺人员进来唱歌跳舞，增加酒宴气氛。过了一会儿，又说："请允许我为太后唱耕田歌。"高后把他当孩子看待，笑着说："你父亲倒是会耕田，而你生下来就是公子，怎么可能知道种田的事呢？"刘章说："我真的知道耕田是怎么回事。"太后说："那你就试着给我

195

史记故事中的大启发

■ 西汉·龙凤纹玉佩

唱一唱耕田歌吧！"

刘章于是就唱了起来："深耕广植，秧苗要稀疏；不是同种的杂草，要铲除，不能留。"吕太后听了，很意外，心里很不是滋味，沉默不语。

过了一会儿，吕氏家族有一个人喝醉了，不想再喝，于是就逃离了酒席。刘章追了过去，拔剑杀了他，然后回来报告说："有一人逃离酒席，我执行军法，把他杀了。"吕后和手下人听了，都非常吃惊，不禁心里打了一个冷战。可是，既然已经批准他按军法行事，就不能说他犯了什么罪。

从此以后，吕氏家族的人都害怕朱虚侯刘章，大臣们也都听从朱虚侯刘章的，所以刘家越来越强盛。

吕太后去世之后，国家开始动荡不安。上将军吕禄、相国吕产两个人要乘机叛乱。齐哀王（刘襄）知道吕氏的阴谋后，准备和弟弟刘章、刘兴居，以及舅舅驷钧、郎中令祝午、中尉魏勃等共同发兵讨伐吕氏。

■ 西汉·彩绘陶乐舞杂技俑

吕家天下的破灭

公元前180年7月中旬，吕后病重，知道自己好不了，于是就任命赵王吕禄为上将军，统率北军，保卫京城，驻扎城外；任命吕王吕产统率南军，护卫宫廷，驻扎城内。并一再告诫他们："你们必须掌握住军队，守卫好皇宫，以防那些大臣叛乱。"吕氏家族完全控制了朝政，阴谋发动政变，推翻刘氏王朝。但由于害怕汉高祖时候的大臣，如绛侯周勃、灌婴等人，所以一直不敢轻举妄动。朱虚侯刘章的妻子，是吕禄的女儿，她无意中得知了父亲等人的阴谋，恐怕

■ 西汉·马踏飞雁

将来事情不成功受牵连，就暗中把这种情况告诉了丈夫刘章。于是刘章派人去告诉哥哥齐哀王刘襄，要他立刻发兵，除掉那些吕家人，然后自立为帝。朱虚侯也准备和大臣们在朝中做内应，配合齐王。

齐王得到这一情报，立即出兵讨伐吕家人，并向各诸侯发出了号令。

汉朝廷听说了，相国吕产等人就派灌婴去迎击齐王。但灌婴考虑这不合乎正义，于是就派使者通知齐王以及各位诸

史记故事中的大启发

侯，表示愿意与他们联合，只要吕家人一发动政变，就共同起兵讨伐他们。

太尉绛侯周勃没有军权，于是就和丞相陈平商量，通过曲周侯郦商的儿子郦寄，劝导吕禄奉还将军印信，把军队交给太尉。吕禄认为郦寄不会欺骗自己，就把军权交给了太尉，太尉统帅了北军。与此同时，陈平要朱虚侯刘章协助周勃去解决南军，周勃抽调1000多人给他。刘章进入未央宫，看见吕产正在宫中准备按原计划作乱，立即拔剑向他刺去，吕产仓

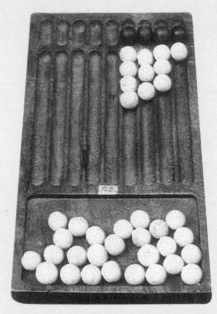

■ 西汉·游珠算盘

皇中无路可逃，最后被刘章抓住，一剑刺死。接着刘章又乘车飞奔，直往长乐宫，斩杀了长乐宫负责警卫的长官吕更始，回来以后，又飞驰进入北军，向太尉报告。太尉起身行礼，向朱虚侯刘章表示祝贺，说："现在杀掉了吕产，天下总算可以安定了。"然后，周勃、刘章派遣将士分头去逮捕吕氏家族的人，不管男女老少，一律处死。

吕家天下破灭了。朝中各位大臣商议，立刘恒（汉高祖之子）为文帝。西汉王朝的政局得到了巩固。

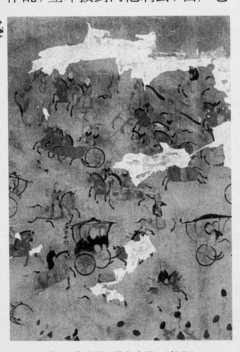

■ 汉墓壁画《举孝廉图》（部分）

史记故事中的大启发

答案 ■ 未央宫。

汉文帝以德治国

汉文帝，是汉高祖排行中间的儿子，做了17年代王之后，大臣们跪在地上坚决诚恳地五次请他做皇帝，他才正式即位。

他即位几年后说："祸患来自互相怨恨，幸福来自遵从德义。百官有什么不对之处，应当是我的过失造成的。可是，如今的官吏总是习惯于把过错推给手下人，这更加显示出我缺乏仁德，必须尽快消除这种做法。"

齐国太仓令淳于公犯罪，应当受刑，被押送到长安。太仓令没有儿子，只有五个女儿。太仓令在被捕的时候，骂他的女儿们："生孩子如果不生男儿，一旦遇有急难，女儿就没有一点用处！"他的小女儿缇萦伤心自己不是男儿，痛哭流涕，就跟随她的父亲来到

■ 汉文帝画像

长安，写信说："我的父亲做官这么多年，齐地人都称赞他廉洁奉公。如今犯法，应当受刑。人死不能复生，受刑的人无法再有完整的肤体，我为此而悲伤，即使他们想改正罪过，也没有机会了。我情愿被取消名分，成为官府的女奴，赎父亲的罪过，使他能有机会改过重新做人。"

皇上慈悲，怜爱她，下命令说："现如今，刑法有好几种肉刑，但是却不能禁止犯罪，这是为什么呢？这是因为我的德行浅薄，教育不当，我非常惭

■ 西汉·彩绘漆案及杯盘

史记故事中的大启发

愧。所以说，训导的方法不当，就会使民众愚昧，并且犯罪。如今有人犯了过错，还没有进行教育，就对他们施加刑罚，即使他们想改错，也没有机会了。这是多么令人痛心的做法，应当废除肉刑。"这道命令，给了太仓令悔过的机会，也使官吏和百姓注重自己的品德修养。

汉文帝做了皇帝23年，宫室、苑囿、狗马、衣服、车驾一点都没有增加。他曾经想建筑晒台，召来工匠们做预算，费用要达到100斤黄金。皇上说："百斤黄金，相当于10家中等平民的家产。建筑晒台做什么！"文帝衣着简朴，经常穿粗厚的衣服，他命令慎夫人不能穿拖到地面的衣服，帏帐不许有绣花图案，表示敦厚俭朴，为天下人做个楷模。置办随葬品，都只有瓦器，不允许用黄金、白银、铜、锡来装饰，不修筑高大的坟墓，节省钱财，避免扰民。

■ 汉文帝陵

答案 ■ 23 年。

袁盎敢说公道话

汉文帝的时候，袁盎做了中郎，侍从皇上。

绛侯周勃担任丞相，每次大臣聚会拜见皇上，他都是早退，非常得意，骄傲自大。而皇上还是对他很好，很恭敬，常常把他送到门外。袁盎看不惯，于是向皇上提意见："现在丞相有些自以为是，我认为陛下不应该采取这种态度。"皇上接受了袁盎的意见，改变了原来的态度和做法。不久之后，绛侯周勃知道了是袁盎向皇上提了意见，非常生气，责备袁盎说："你小子在朝廷上说我的坏话，咱俩走着瞧！"袁盎觉得自己有理，始终没有向绛侯赔礼道歉。

后来，绛侯被免除了丞相的职务。有人恨他，就趁这个机会说他要造反。皇上信以为真，把绛侯抓了起来，关在牢里。这时候，只有袁盎挺身而出，声明绛侯没有罪。最后，绛侯被释放。绛侯非常感激，于是跟袁盎的关系越来越好。

皇上的弟弟淮南王刘长，因为与辟阳侯有仇，就杀了他。杀人之后，因为没有人过问，他就更认为自己了不起，没人敢管。袁盎劝

说皇上："诸侯太狂妄自大，必然会出事，应该适当削减他们的地盘和权力，并对他们加强管理。"皇上觉得袁盎说得太严重了，没有采纳他的意见。

史记故事中的大启发

淮南王于是更加骄傲专横。后来，棘蒲侯柴武的儿子谋反，这件事牵连到淮南王，皇上把他驱逐到边远的地方去，用囚车押送。袁盎向皇上提意见："陛下一向让淮南王想干什么就干什么，从来不禁止，所以才闹出这样严重的事情。如今又突然这样折磨他，好像不太合适。他从来没吃过这种苦，要是遭受风寒死在半路上，那就后悔都来不及了。"皇上不听袁盎的话。果然，淮南王到达雍地以后不久，就病死了。皇上听到这个消息，整天不吃不喝，哭得很伤心，后悔没有采纳袁盎的意见。

邓通为皇上吸脓水

史记故事中的大启发

俗话说："种田人靠辛苦劳动，可以得到好收成；读书人、伺候皇帝的人靠卑贱的态度，可以得到权势。"

汉文帝的时候，在宫中得到偏爱的人是邓通。邓通没有什么技艺才能，早年由于善于划船当上了黄头郎。有一天，汉文帝做梦想要上天，上不去，有一个黄头郎从身后推着他上了天。汉文帝回头一看，那个人的腰带向后打结，特征明显，就记住了。梦醒以后，汉文帝就到处视察，按照梦中的情景，寻找推他上天的黄头郎。随后就看见了邓通，他的样子正像梦中见到的那样。于是汉文帝越来越喜欢邓通，邓通的地位也越来越尊贵。

汉文帝曾经得了毒疮病，常常发炎化脓，邓通于是就常常用嘴为他往外吸吮脓水。文帝很受感动，问邓通："天下谁最爱我？"邓通回答："是太子。"第二天，太子进宫向皇上探问病情，文帝的

毒疮正有脓水，于是文帝就叫太子吸吮脓水，太子不得不弯下腰吸吮脓水，但是从心里是很不愿意的。过后，太子听说邓通经常为文帝吸吮毒疮，心中虽然惭愧，但是特别怨恨邓通。等到文帝去世

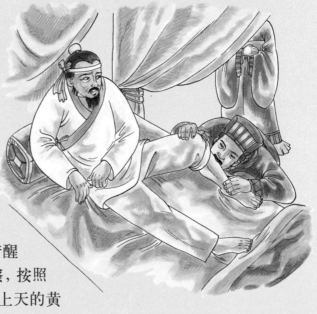

之后，太子即位，成了汉景帝，就撤消了邓通的职务，让他在家闲着。过了不久，有人揭发控告邓通偷偷在国外私自铸钱，景帝把案子交给法官审问，发现案情是真的，不是谣传，于是邓通的财产被全部没收。虽然景帝的姐姐长公主对邓通印象不错，常常派人送给邓通粮食和衣服，但是最后邓通还是饿死在别人家里了。

晁错主张削弱诸侯

晁错是颍川人。他凭着文学才能担任了太常掌故。

晁错为人正直，对人对己都非常的严厉。

汉文帝时，晁错主张削弱诸侯的势力，并且要修改法令。他给皇上写信几十次，文帝都没有采纳，但欣赏他的文学才能，提升他作中大夫。当时只有太子赞同晁错的主张，袁盎和各大功臣都不赞成。

丞相申屠嘉死后，晁错被提升为御史大夫。汉景帝即位后，晁错又向皇上陈述诸侯的罪过，请求削减他们的土地，没收他们首都以外的郡，用这种做法加强皇上的统治。皇上与公卿、列侯商议这件事，表面没有人敢表示反对，只有窦婴跟晁错争论。

晁错修改的法令有30条，每一条都影响到诸侯的利益。诸侯们吵吵闹闹，都痛恨晁错。晁错的

史记故事中的大启发

史记故事中的大启发

父亲听到这个消息，为他担心，就对他说："皇上刚刚即位，你掌握大权，刚刚上任，就忙着削弱诸侯的势力，所有的人都在埋怨你，你到底是怎么想的？"晁错回答："不这样做，皇上就不受尊敬和崇拜，国家就不得安宁。削弱诸侯有什么可奇怪的！"

晁错的父亲感叹："唉！你这样做，刘家的天下是安宁了，但是晁家怎么办？"不久，晁错的父亲服毒自杀，死前说："大祸临头，反正都是一死，我还等什么？"死后10几天，吴、楚七王果然反叛，他们打着捉杀晁错的名义。大将军窦婴、袁盎于是提意见，要求皇上杀死晁错。皇上考虑了许久，就接见晁错，在东市把他当众斩首。

晁错死后，皇上派邓公去攻打吴、楚叛军。邓公回到京城向皇上汇报情况。皇上问："你从前线回来，有没有听说晁错死后，吴、楚两王准备退兵？"邓公回答："吴王谋反，已经准备几十年了，早晚都要反叛。现在他起兵说是为了杀晁错，但实际并不在于此。当时晁错担心，要是诸侯过于强大，朝廷就不好控制他们，所以才请求削弱诸侯势力，这可是为了皇上的利益啊！"景帝沉默了好久，悔恨当初没采纳晁错的主张。

■ 汉文帝之母薄太后陵

七王叛乱

齐悼惠王的七个儿子都被汉文帝封为列侯，再后来，汉文帝又把他们晋升为王，共有七王。

齐孝王十一年，七王中的吴王濞和楚王戊联合起来，一起动武造反，带兵向西行进，攻打汉朝。他们打出旗号，对诸侯说："要杀死汉朝的贼臣晁错，使国家安定。"其他好几个王也都跟随吴王、楚王一起叛乱，发兵攻打汉朝。他们想拉拢齐王也参加，一起叛乱。可是齐孝王不听他们的，而是严密防守保卫城池。于是，就有三个叛乱的王派兵包围了齐国。齐王派路中向皇帝报告紧急情况并请求援救。皇帝让路中回去转告齐王："继续坚持防守，朝廷派出的军队已经打败了吴、楚等王，他们的叛乱不会持久的。"路中马上回来报告，

可是，当时三个王率领的军队已经把城团团围住，路中没有办法进城。三个王的将领把路中逮走了，并威胁他说："你就说汉军已经被打败了，齐王赶快向三国投降，不然的话，就会血染整个城市。"路中假装答应了他们的要求，来到城下，看到了齐王站在城墙上。这时候他还是按照皇帝的吩咐喊话："汉朝已经派兵100万，派太尉周亚夫打败了吴、楚叛军，正率军前来援救齐国。齐王一定要坚持住，不要投降。"三王的计策没有得逞，就把路中杀了。

史记故事中的大启发

史记故事中的大启发

■ 西汉·鎏金嵌琉璃乳钉纹壶

劝说齐王不要向三王投降，这样使得条约没有签成。没过多长时间，汉朝将领栾布、平阳侯曹奇率兵到达齐国，打败了三王的军队，解除了对齐国的包围。过了不久，汉朝将领栾布听说齐王曾经和三王有讲和条约，非常愤怒，就准备出兵讨伐齐王。听到这个消息，齐孝王非常害怕，于是就喝毒酒自杀了。汉景帝听说了这件事，认为齐王和七王不同，与三王订讲和条约是在迫不得已的情况才做的，更何况，条约也没签成。于是孝王的太子寿被封为齐王，这就是懿王。而那七王全被消灭，封地收归汉朝廷。

在齐王被围攻的紧急时刻，曾经暗中与三个王谈判。就要与三王签订讲和条约的时候，听说路中正在回来的途中，齐王非常高兴，他手下的大臣们也都纷纷

■ 西汉·独轮车（模型）

答案 ■ 负责刑法监狱和军事工作。

张释之公正执法

有一次，汉文帝坐着马车外出，经过中渭桥时，有一个人从桥下面跑出来，拉车的马受了惊，皇上在车内也吓了一跳。皇上的手下人抓住那个人，交给张释之审问处理。张释之当时担任廷尉，负责刑法监狱和军事工作。张释之审问那个人，那人说："我是乡下人，来到这里，正赶上清理道路戒严，我就藏在桥下面。过了很长时间，以为皇上已经过去，我才出来，看到皇上的车马和仪仗队，吓得我立刻就跑。"张释之审问后，把处理意见报告给皇上，说他犯了清道戒严的禁令，应该处以罚金四两。

文帝发怒说："我的马受了那个人的惊吓，多亏我的马脾气柔和，如果是其他烈马，不就要摔伤了我吗？可你只判处罚金，不是太轻了吗？"张释之说："法律对人应该是同等对待，不管是皇上还是普通老百姓。这个人犯的罪，按照法律应该这样判罚，如果您

史记故事中的大启发

207

史记故事中的大启发

不久以后，有人偷了高祖庙里神座前的玉环，偷玉环的人被抓到了，汉文帝发怒，把这个人交给廷尉张释之判处。按照法律中偷盗宗庙器物的条文，应该判处这个人死刑。张释之把这个判处意见报告给皇上，皇上非常愤怒说："那个人胡作非为，竟敢偷盗先帝庙里的器物，应该灭他的全族，怎么只判处他死刑？"张释之脱下帽子磕头赔礼说："按照法律这样判决，其实已经够重了。如果偷盗宗庙里的器物就杀灭全族，那么万一有哪个愚蠢的百姓到长陵高祖坟墓，挖坟盗墓，陛下又怎样加重处罚呢？"文帝当时没有说话。过了很久，文帝和太后谈到这件事，他们认为张释之的判决是正确的，然后批准了廷尉的判决。张释之从此受到天下人的赞扬。

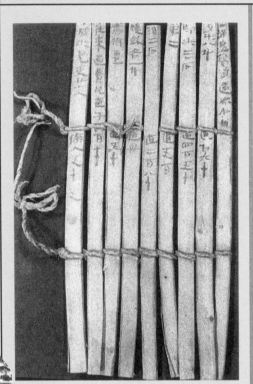

■ 西汉·局延汉木简

认为罚得轻，要随便加重处罚，那么这样的法律就不公正，就不会得到人民的信任。法律必须公正，不能随意轻罚或者重罚。"皇上听了张释之的解释，沉默了很久，然后说："廷尉处理得对，应当这样。"

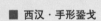

■ 西汉·手形鋬戈

冯唐敢于冒犯皇上

冯唐是汉代著名的大臣。有一次,汉文帝听了冯唐讲述赵国著名将领廉颇、李牧的为人后,十分高兴,拍着大腿说:"我偏偏得不到廉颇、李牧做我的将领。我要是能得到他们,现在我还担忧匈奴的侵犯吗?"冯唐说:"请陛下饶恕我说话的直截了当,您即使得到了廉颇、李牧,也不可能重用他们。"

皇上非常愤怒,回到了皇宫。过了很久,皇上召见冯唐责怪说:"您为什么当着这么多人侮辱我,难道没有僻静的没人的地方吗?"冯唐赔礼道歉说:"我这人粗俗,说话不注意场合,请您原谅。"皇上虽然恼火,但是也拿冯唐没办法。

这时候,匈奴大规模侵入朝邯,杀死了北地郡都尉孙印。皇上为匈奴入侵很担心,想找到解决的办法,于是又问冯唐:"您怎么

史记故事中的大启发

■ 西汉·舞人扣饰

知道我不会重用廉颇、李牧呢？"冯唐回答："古时候，皇帝派将领出征打仗时，告诉将领，国门以内的事，皇帝控制；国门以外的事，请将军处理，给在外将军很大的自由。这可不是空话啊！比如，李牧担任赵国将军驻守边疆时，他就可以把征来的租税都用来奖赏官兵。朝廷只是交给他任务，至于他怎么做，从来不干涉。所以，李牧才能发挥他的才能，把守好边疆。

如今，魏尚担任云中太守时，把征收来的税收全部拿来赏给官兵，还拿出自己的钱，每五天杀一头牛，宴请宾客、军官，大家心情舒畅，团结一致，因此匈奴不敢侵犯。有一次，匈奴派重兵入侵，魏尚用很少的骑兵攻击他们，就大获全胜，为什么他的将士那么厉害呢？就是因为官兵都和他亲近，肯于为他卖命。但是，陛下的刑罚太重。比如云中太守魏尚吧，他上报杀死敌军数目的时候，差了六个，陛下就把他交给司法官，判他的罪，取消了他的爵位，还判了一年徒刑。这样看来，陛下即使得到廉颇、李牧，也不可能重用！"文帝听了这番话，觉得有道理，当天就免去了魏尚的罪行，让他重新担任云中郡守，同时任命冯唐为车骑都尉，掌管各郡、国的兵马。

■ 胡汉交战画像石

史记故事中的大启发

答案 ■ 朱家、田仲、王公、剧孟、郭解等。

侠客朱家

侠客，在行为上虽然有些不遵守法律，但他们说话算数，说到做到，做事坚决，答应别人的事一定去做，甚至不怕牺牲生命。侠客有敢于担风险、舍己助人的气概，而且即使出生入死之后，也不夸耀自己。

虽然侠客的修养、行为、名声往往很好，大家都称赞他们，但是秦朝以前的侠客都被埋没了，流传下来的没有几个。到了汉朝，比较大的侠客有朱家、田仲、王公、剧孟、郭解等人。他们的名声不是随便得来的，百姓也不会轻易地称颂某个人。他们虽然常常违反汉朝的法律，但他们的行为符合道德和正义，值得称颂。有的人把朱家、郭解等人与强盗看成是同一类人，这实在是黑白不分，那些欺压百姓的恶霸与侠客完全不同，他们借用武力欺辱弱小，搜刮民财，而这种恶劣行为正是侠客看不起的，被他们所抛弃的。

朱家收留和救活的著名人士数以百计，普通百姓更是不计其数。但他始终不夸耀自己的本事，也不扬扬得意。他为了救济那些贫贱的无依无靠的人，弄得自己家里一点余钱都没有，衣服也破旧得掉了颜色，吃饭从来没有两样以上的荤菜，坐的车，不过是用小牛拉的。他曾经帮助过季布将军，使他脱离了困难。后来季布做了大官，他却终身不再见季布。他把人从水火中救出来的事越来越多，所有的人都渴望跟他交朋友。

在楚国有个田仲，也因为侠义而闻名，他像对待父亲一样伺候朱家，自己承认比不上朱家。田仲死后，洛阳出了剧孟，他的侠义各个诸侯没有不知道的。吴、楚七国反叛时，剧孟为抗击七国出了力。太尉周亚夫急切地来到洛阳，找到了剧孟，夸赞剧孟，那种喜悦的心情无法用语言表达，得到剧孟就像是得到一个国家一样。剧孟去世时，家里连10两金子都没有，让所有的人都非常感动。

史记故事中的大启发

211

董仲舒用《春秋》除灾

董仲舒是广川人,因为研究孔子写的《春秋》出了名,在汉景帝时期担任博士。

董仲舒学习很用功,曾经连续三年都不到后园游玩。他出入到任何地方,都非常注意自己的仪表举止,不合乎礼仪的举动就绝对不做,读书人都很佩服他,争着向他学习。

董仲舒同时教很多学生。在讲课的时候,他总是放下帷幕,坐在帷幕后面讲授《春秋》,资格最老的学生们在帷幕前听讲,其他的学生根据入学时间的长短,分为几个等级,从高往低,依次教授。所以,有很多学生连董仲舒的面都没见过。

史记故事中的大启发

■ 《春秋繁露》书影
董仲舒在此书中,运用阴阳五行学说系统建立并阐述了他的"天人感应"。

■ 董仲舒画像

汉武帝的时候,董仲舒担任江都郡国国相(丞相)。他依据《春秋》所记载的自然灾害和特别现象,来找出阴阳运行的规律,于是在天旱求雨时就关闭各种阳气,放出各种阴气,消雨时的方法与此正好相反。他的做法在江都推行之后,效果显著,大家都非常佩服。但是,他还是得罪了人,被降职为中大夫。

董仲舒被降职后,回到家里,写了一本书,叫做《灾异之记》。这本书主要讲各种自然灾害和天地反常的现象,供人们预防自然灾

害之用。主父偃忌妒他，就偷了这本书，报告给皇上。皇上召集不少读书人，把书给他们看，他们看到书里有很多批评讽刺当今事务的内容。董仲舒的学生吕步舒不知道这本书是他老师写的，就大声批判这本书，认为这本书太愚蠢了，应该把作者抓起来杀掉。于是董仲舒被抓了起来，判处死刑。好在皇上宽恕，免去了他的罪行。董仲舒死里逃生，终生不敢再批评当前的事务了。由于董仲舒在官府被吓怕了，后来就辞职回家，一直到去世为止，再也没有做官。

他的一生，学生很多，成就突出的有褚大、殷忠、吕步舒。褚大当过梁国国相。吕步舒当过长史（丞相的秘书长），他的权力很大，对有罪的诸侯王的处理可以自己做判决，不用请示皇上。除了这三个学生以外，其他当官的也有几百人。

史记故事中的大启发

213

汉武帝抗击匈奴

汉朝的几个皇帝都没能阻挡匈奴多年的侵扰,到了汉武帝时期,国家经济力量强大了,汉武帝也重视军事力量的培养,因此大规模抗击匈奴的军事行动开始了。

有一年的冬天,匈奴又多次侵入边境,渔阳受害最为严重。汉朝派韩安国将军驻守渔阳防御匈奴。第二年秋天,匈奴两万名骑兵入侵汉朝,杀死了辽西太守,逮走了2000多人。匈奴又打败了渔阳太守的军队1000多人,包围了汉

■ 汉武帝画像

朝将军韩安国。这时,燕国的救兵赶到,匈奴人才撤退。然后,匈奴又入侵雁门,杀死、逮走了1000多人。汉朝派大将军卫青率领3万名骑兵从雁门出发,李息从代郡出发,攻打匈奴。他们杀死、俘虏了匈奴几千人。第二年,卫青又攻打匈奴管属的楼烦、白羊王,杀死、俘虏了几千人,获得牛、羊100多万头。于是汉朝就占了河南一带,他们在朔方修筑城墙,又修复关塞,凭着黄河来坚固防守。

匈奴伊稚斜单于(匈奴君主的称号)继位后,多次侵扰汉朝边境,直至入侵到河南,侵犯朔方,

■ 无字碑,汉武帝登泰山时所立

■ 卫青画像

越过焉支山1000多里，攻击匈奴，杀死、俘虏匈奴1.8万多人。那年夏天，骠骑将军霍去病又联合几万名骑兵从陇西、北地出关2000里，攻打匈奴，杀死、俘虏匈奴3万多人。博望侯张骞和将军李广从右北平出关，他们杀死匈奴的数目，也远远超过了自己军队损失的数目。

杀死、逮走许多官员和百姓。汉朝派出大将军卫青率领六位将军，10多万骑兵，从定襄出关几百里去攻打匈奴，杀死、活捉了1.9万多人，而汉朝也损失了两位将军、3000多名骑兵。前将军赵信投降了匈奴，匈奴单于得到赵信后，让他做了王，地位仅次于单于。

第二年，匈奴骑兵入侵上谷，杀死了几百人。汉朝派骠骑将军霍去病率领一万名骑兵从陇西出关，

■ 马踏匈奴石刻

史记故事中的大启发

李广使匈奴撤兵

■ 李广画像

李广被誉为"飞将军"，是陇西郡成纪县人。李广的家世世代代练习射箭，熟习射法。

吴、楚等七王叛乱的时候，李广担任骁骑都尉（军事官名），跟随太尉（军政领导官名）周亚夫攻打吴、楚军队。他在昌邑城下的战斗中，夺得了敌军的帅旗，立了大功，出了名。后来，李广被调去做上谷太守（郡的长官），每天都和匈奴交战。有的官员担心他会战死，于是，汉景帝就把他调去当上郡太守。

匈奴又大规模侵入上郡，皇上派一个宦官（侍候皇上及家属的人）跟随李广学习军事，抗击匈奴。有一天，那位宦官带领几十名骑兵，发现三个匈奴人，就和他们打了起来。那三个匈奴人回身射箭，射伤了宦官，还几乎杀光了他的骑兵。宦官逃回来告诉李广，李广对他说："这一定是射雕的能手。"于是带领100名骑兵追上去。

那三个匈奴兵没有骑马，走了几十里就被追上了。李广命令手下骑兵左右分开包抄，自己亲自射杀那三个人，射死了两个，活捉到一个。一审问，

■ 李广骑射图

他们果然是匈奴人当中射雕的能手。李广把俘虏捆好，骑上马准备回去，忽然望见有几千名匈奴骑兵奔驰过来。匈奴兵发现李广只有100人左右，以为是汉朝派来诱骗他们上当的骑兵，后面一定还有大批人马，产生了防备心理，于是赶快爬上山头，摆开阵势。李广手下的骑兵吓得心惊胆战，想策马飞快逃跑。李广却命令他们前进，在离匈奴阵地两里路的地方停了下来，一齐下马卸鞍，故意不走。

匈奴骑兵看到这种情况，更加相信李广一伙是引诱他们上当的，不敢发动进攻。一位骑白马的

■ 西汉·铜弩机

匈奴将领走出阵来监护他们的队伍，李广立刻上马和10多名骑兵飞奔过去，一箭把他射死。李广回到自己的队伍中，卸下马鞍，又叫士兵们把马放了，躺下休息。这时，恰巧天快黑了，匈奴兵一直捉摸不定，不敢发动进攻。到了半夜，匈奴军队认为汉朝军埋伏在附近，要乘夜偷袭他们，于是就连夜全部撤走了。

史记故事中的大启发

匈奴不灭不想家事

霍去病善于骑马、射箭,作战立下不少军功。

有一年的春天,皇上任命冠军侯霍去病(他的功劳两次在全军中获第一,被封为冠军侯)为骠骑将军,率领一万骑兵从陇西出关,转战了六天和匈奴面对面地战斗,杀死了折兰王,砍死了卢胡王,活捉了浑邪王的儿子,杀死敌人8000多人,因此皇上又给他增加了2000多户租税的收入。

那年的夏天,骠骑将军霍去病和合骑侯孙敖从北地出关,分路前进;博望侯张骞、郎中令李广从右北平出关,分路前进,一起去攻打匈奴,活捉了很多敌人。

那年秋天,匈奴单于因为浑邪王多次被汉朝打败,损失了几万人,十分气愤。单于想把他杀掉。浑邪王和休屠王商量要投降汉朝,他们派人先到边境上等候。汉朝士兵见到浑邪王派的人,就马上向上级报告。皇上知道了这件事,害怕浑邪王他们用假装投降的办法来攻击边境,就命令骠骑将军霍去病率领军队前去迎接。霍去病渡过黄河后,和浑邪王的部队互相远远观望。浑邪王的副将们看到霍去病的军队,害怕有变化,多数不想投降,有很多人逃离了。霍去病于是奔入敌人阵营和浑邪王见面,杀死了想要逃跑的8000人,然后让浑邪王一人坐着专车到皇上巡视的地方,拜见皇上,接着浑邪王带着全部投降的人渡过黄河。

在抗击匈奴的过程中,骠骑将军霍去病战功累累,皇上为他修造豪华住宅,让他去住,他推辞说:"匈奴还没有消灭,不用考虑家里的事情。"

■ 霍去病墓

史记故事中的大启发

答案 ■ 骠骑将军。

冒顿打败东胡

匈奴的单于叫头曼，他有个太子名叫冒顿。冒顿很聪明，他制造了一种响箭。有一次，他跟随父亲头曼去打猎，趁头曼不防备，一个响箭射向头曼，他手下的人也都跟着把响箭射去，结果把头曼单于射死了。冒顿自立为单于。

冒顿做了单于后，东胡国强大起来，他们的首领听说冒顿杀死了父亲自己做了单于，就派外交官去对冒顿说，想得到头曼单于的千里马。冒顿征求大臣们的意见，大臣们都说："千里马是我们的宝马，不给！"冒顿说："我们和人家做邻国，怎么舍不得一匹马呢？"于是就把那匹千里马送给了东胡。不久，东胡以为冒顿怕他，又派外交官对冒顿说，想得到冒顿的一个妃子，冒顿又征求大臣们的意见，大臣们都很生气地说："东胡太不讲理了，竟然要妃子！应该进攻他们。"冒顿说："要和邻国友好，怎么舍不得一个女人呢？"就把自己喜欢的妃子送给了东胡。东胡王越发横蛮，开始向匈奴侵略。东胡和匈奴中间有1000多里的荒地，没有人居住，双方都在这空地的两边修起哨所。东胡派外交官对冒顿说："你们和我们中间的空地，我想占有它。"冒顿征求大臣们的意见，有的大臣说："这是空地，给他们也可以，不给也可以。"冒顿一听这话，怒气冲天地说："土地，是国家的根本，怎么能给别人呢！"那些说给土地的人，都被处死了。

■ "天降单于" 瓦当

冒顿立刻上马，向部下发出命令：全部人马出动，攻击东胡，有后退的人就处死他。于是，冒顿率领大军发动对东胡的突然进攻。东胡起初瞧不起冒顿，没有丝毫准备，等到冒顿的军队一到，根本抵挡不住，冒顿因此比较容易地歼灭了东胡的军队，杀死了东胡王。冒顿胜利归来，又不断向西、向南、向北进攻，领土扩展到贝加尔湖，匈奴最强盛的时期，就是冒顿单于统治的时期。

史记故事中的大启发

219

张骞出使西域

■ 汉朝时织造的丝织品

张骞,汉中人,汉武帝建元年间担任郎官,侍从皇帝。那时候,汉朝正打算灭掉匈奴,听说月氏国也打算攻击匈奴,所以朝廷就想派人与月氏国取得联系。但是,要去联系月氏,就必须要经过匈奴境内,这是非常危险的任务,朝廷就到处招集愿意当使者的人。张骞以郎官的身份去应招,于是朝廷就派他去月氏。他与一个叫做堂邑氏的匈奴人一起从陇西出发了。

在经过匈奴境内的时候,他们被匈奴人抓住了,送到了单于那里。单于扣留了他们。张骞被扣留了10多年,在那里娶了一个匈奴人做妻子,而且有了孩子,但是张骞没有忘记自己的任务。在匈奴呆久了,匈奴对他的防备越来

越松了,于是张骞趁机逃跑,带着手下人去寻找月氏。他们向西走了几十天,来到了大宛国。大宛国王早就听说汉朝物产丰富,很想与汉朝互相来往,但一直没有找到机会。见了张骞,他特别欢喜,问道:"你要到哪里去?"张骞回答说:"汉朝派我去月氏,途中被匈奴扣留了,现在总算逃了出来。希望大王能派人送我去月氏。我

■ 敦煌壁画《张骞出使西域辞别汉武帝图》

史记故事中的大启发

答案 ■ 张骞。

如果能到那里，并且返回汉朝，那么汉朝一定会拿相当多的礼物送给您。"大王认为条件还不错，就派人一路护送张骞，到了康居国，康居国又护送张骞到了月氏。

当时，月氏王已经死了很多年，太子被立为王。月氏征服了大夏国，占据了他们的全部土地。那里土地肥沃，物产丰富，月氏国王贪图于丰衣足食的生活，不再想打仗；又觉得离汉朝太远，联合起来很费劲，因此，张骞在月氏呆了很长时间，想跟月氏结成联盟，还是没有得到月氏王的同意。

张骞在月氏、大夏呆了一年多，然后回国。他沿着昆仑山的北面向东行，想路过羌人地区回到汉朝长安，但是又被匈奴人抓住。被扣留一年多之后，单于去世，匈奴国内发生了叛乱，张骞和他的妻子、甘父（堂邑氏的奴隶）趁机逃回了汉朝。汉朝任命张骞为太中大夫，甘父为奉使君。

从此，西域各国和汉朝就有了密切的交往，这种交往是张骞开创的。

■ 敦煌壁画《商旅图》

史记故事中的大启发

221

任安、田仁被选中

■ 西汉·铜兽钮银豆

　　任安是荥阳人，从小就成了孤儿，生活十分贫困。后来，他做了卫青将军家的帮工，在那里他认识了田仁。他们两个同做帮工，志趣相同，互相敬佩。

　　后来，皇上发布命令，要选拔卫将军的帮工来做官，卫将军从帮工里面选了几个最富裕的，让他们准备好鞍马、宝剑，准备带他们入宫。出发之前，恰好太中大夫赵禹来拜访卫将军，卫将军就把这几个帮工叫来，介绍给赵禹。赵禹一个个向他们提问管理国家、率领军队的问题，这些人连一个熟悉国家大事、懂得军事的都没有。于是赵禹对卫将军说："我听说，将军的家里一定有可当将领的人。古人说，要了解一个诸侯国的国君，就看他使用什么人；要了解一个人，就看他交什么朋友。现在皇上推荐将军的帮工，是要通过这个事考察将军的用人怎么样。如果你只选几个富家子弟，他们一点智慧都没有，那可怎么办呢？"

　　卫将军于是召集全体帮工，一共100多人，请赵

史记故事中的大启发

禹替自己挨个考察提问，结果发现了田仁、任安。赵禹说："只有这两个人可以，其余的人一点用处都没有。"

卫将军看到这两人衣帽破旧，显得很贫困，心里有些不喜欢他们。赵禹走后，卫将军让这两个人赶快回去准备鞍马，再换上新衣服。这两个人说："家里穷，这些东西准备不起。"将军发怒说："你们两人都是因为家里贫穷，才出来找工作，这我知道。但你们出来这么久了，怎么还这么穷？"将军把他们批评了一顿，但是也没有别的办法，只好替他们准备衣服和其他物品，然后去见皇上。皇上问两人有什么才能，并让他们两个互相评价高低。

田仁首先说："要论行军打仗，让士兵拼死去战斗，那我比不上任安。"任安回答说："可是，要决定国家大事，明辨是非，管理官员，那我比不上田仁。"汉武帝大笑："好！你们两个都太谦虚啦！"后来两人得到汉武帝的重用，立即名扬天下。

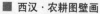

■ 西汉·农耕图壁画

楼船将军平定南越

史记故事中的大启发

南越国丞相吕嘉年纪很大了,势力也很大,常常和汉朝作对。汉朝皇上考虑到南越王、王太后已经归顺汉朝,只有吕嘉作乱,于是就只派原济北王的丞相韩千秋和王太后的弟弟樛乐率领2000人,进入南越境内。吕嘉看到形势不妙,就决定造反。于是他和他的弟弟率领士兵杀死了南越王、南越王太后和汉朝的外交官。

于是汉朝皇帝发布命令:"如今吕嘉、赵建德(新南越王)等人造反,自立为王,我命令长江、淮河以南的水兵共10万前去讨伐他们。"路博德任伏波将军,带兵经过桂阳,直下汇水;杨仆任楼船将军,带兵经过豫章,直下横浦;投降过来的两个南越人为戈船将军和下厉将军,带兵经过零陵,一部分直下离水,一部分直达苍梧;派

224

答案 ■ 杨仆。

驰义侯依仗巴蜀的罪人，发动夜郎的军队，直下牂牁江。几支奇兵全都会师在南越首府番禺。

楼船将军率领精兵首先攻下了寻陕，又攻下了石门，夺得了南越的战船和粮食后又向前推进，打败了南越的先头部队，率领几万人等候伏波将军。伏波将军率领被免罪的犯人，因为路途遥远，耽误了和楼船将军会合的时间。楼船将军先到达了番禺。伏波将军随后也到了。

赵建德、吕嘉都占据都城防守，楼船将军先选择了一个有利的地方，把兵驻扎在番禺的东南方；伏波将军把兵驻扎在西北

■ 西汉·素纱禅衣

方。天黑时，楼船将军迅速打败了南越人，开始放火烧城。伏波将军命令军队驻扎下来，派人去招引南越人投降，发给投降人官印，证明投降的人都当了官，然后把他们放了出去，让他们再招引南越王的官兵投降。

黎明时，番禺城里的敌军都投降了伏波将军。吕嘉和赵建德已经在夜里逃到了海上，乘船往西去。伏波将军打听到他们逃跑的方向，就派人去追赶。司马苏弘捉到了赵建德，南越投降过来的郎官都稽捉到了吕嘉。还没等戈船将军、下厉将军和驰义侯的军队来到，南越已经被平定了。

■ 西汉·金兽

史记故事中的大启发

225

东方朔隐居朝廷

史记故事中的大启发

汉武帝的时候，齐国有位东方朔，非常博学多才。他初到长安时，到公车府（政府机关名）交意见书，意见书很长，一共用了3000片木简来书写。公车府派了两个人去抬他的意见书，勉强能抬起来。皇上读这个意见书，整整读了两个月。读完以后，汉武帝认为东方朔很有才华，就让他当郎官，留在自己身边等候分配工作。

皇上欣赏东方朔，就时常让他跟自己一起吃饭。每次吃完饭，东方朔总是把剩下的肉全部揣在怀里拿回家，把衣服弄得油乎乎的。武帝还多次给他绸绢，他就卖力地扛着或挑着弄回家。东方朔

■ 东方朔画像

得到这些东西以后，专门用这些钱财和绸绢来娶长安城中年轻美丽的女子为妻，大多娶了一年左右就不要了，重新再娶妻。这样一来，赏给他的钱财全部都用在了娶妻上。皇上身边的郎官们觉得东方朔实在是很古怪，就把他叫做"狂人"。

有一次，有个郎官对东方朔说："大家都认为先生是狂人。"东方朔说："我不是狂人，我就是传说中在朝廷里隐居的人。一般人，只能在偏僻的深山隐居。"这就是说，隐居在深山里太

贫苦，像东方朔那样隐居朝廷里，生活不但不贫苦，还能使自己过得好。

博士们讨论国家事务时，都追问东方朔："苏秦、张仪一遇到英明的皇上，就做高官，使后代得好处。如今您博学多才，能说会道，国内外没人能比。可是您侍候皇上，辛苦了好几十年，只不过是个侍郎小官，这是为什么呢？"东方朔回答："这你们就不懂了。那是一个时代，这又是一个时代，怎么可以把二者放在一起谈论呢？张仪、苏秦的时候，12个诸侯国互相争夺，不分胜负，谁能得到人才，谁就强大，所以张仪、苏秦做了高官。现在不是这样了，现在国家稳如泰山。如果苏秦、张仪和我一样生活在当今，那么他们恐怕连一个小小的历史人物都算不上。所以说，时代不同了，很多事情就会发生变化。在这样安定的时代，应该在朝廷过隐居的生活，虽然现在没做大官，但我自己感到平安、得意，并且留名后代。你们连这点都不懂，还敢追问！"

那些博士听了，都无话可说。

■ 吴伟·《东方朔偷桃图》

227

历史小测验 ■ 劳民伤财所导致的最严重后果是什么?

劳民伤财

汉朝建立70多年来,做了不少劳民伤财的事。开辟通往西南地区的道路,工程浩大,而且艰难,参加劳动的就有好几万人,要从千里以外挑着担子去运送粮食,出发时挑64石粮食,运到地方时,只能剩下一石。于是就分发钱币,在工地附近地区收买粮食。就这样干了很多年,耗费了很多人力、财力,通往西南地区的道路还是没有修通。后来,又发动10多万人修筑城池保卫北方边疆,不论是走陆路用车运,还是走水路用船运,都非常遥远,太行山以东广大地区的人们,都深受劳苦。整个工程耗费了几十亿甚至上百亿的巨资,国库越来越空虚了。于是,政府规定,百姓中能向官府交奴婢的,可以终身免除劳役,用奴婢替主人服劳役;做官的如果交奴

■ 泛滥的黄河

史记故事中的大启发

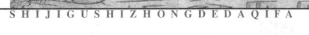

答案 ■ 国库完全空虚了。

婢出来，就可以提高官位等级；能交纳羊群的也能做官。从这种情况可以看出当时国家是多么的穷困，百姓是多么的劳苦。

过去的10多年里，黄河不断决口，沿河一带郡县动用大批人力、物力和财力，修筑堤坝堵塞河水。修好之后不久，就又冲坏了，耗费的钱财无法计算。后来又修通汾水和黄河的渠道，用来灌溉田地，调用了几万人；开凿从长安到华阴的直渠，这个工程又用了几万人；北方也修水渠，动用了几万人，各项工程都长达

两三年，但都没有成功。

皇上为了讨伐匈奴，大力倡导养马，带到长安来饲养的马就有几万匹。养马要有马卒（饲养和牵马的人）。后来，关中的马卒不够用，就只好调用外地的百姓。同时，投降过来的匈奴人都靠政府供给衣食，政府越来越供不起了。

第二年，崤山（东自河南新安县境，西边到潼关）以东地区发生水灾，整整70万百姓没有饭吃。于是政府就把灾民迁移到函谷关（今河南灵宝县东北）以西地区，或者迁到朔方以南的新秦中地区。让他们去耕种土地，还要派人去管理他们。这种耗费简直无法计量。这样一来，国库就完全空虚了。

司马相如与卓文君

司马相如，原名叫司马犬子。学业完成后，因为他敬仰蔺相如的为人，就改名叫司马相如。他家境贫穷，又没有职业，所以没有生活来源。于是他就去投奔跟他关系很好的临邛县令王吉，住在城内。临邛县的富人卓王孙和程郑两人听说县令（县官名）家来了贵客，就准备酒席，请县令赴宴，司马相如也去了。

参加宴会的人都很钦佩司马相如的行为举止。正在大家喝酒喝到高兴时，县令递给司马相如一把琴，希望司马相如弹琴为大家助兴，司马相如于是就弹奏了两首曲子，曲子非常好听。这时卓王孙的女儿卓文君听见了，就偷偷地从门缝中看司马相如。司马相如也看到了卓文君，于是他弹琴弹得更起劲了，成心招引卓文君的目光。卓文君看到他长得英俊不凡，琴也弹得好，就起了

SHIJIGUSHIZHONGDEDAQIFA

爱慕之心。

宴会结束后，司马相如叫人拿了丰厚的礼物，送给卓文君，向她表达自己的深情厚谊。卓文君非常高兴，连夜就逃出家门，私自去找司马相如。司马相如带着卓文君急忙赶回成都。到了他家里，卓文君才知道司马相如很穷，屋子里什么都没有。

卓王孙失去了女儿，非常生气，说："唉！女儿这么丢脸的事都做得出来！以后我连一个钱都不会给她！"

卓文君在成都过了一段时间后，感到生活不快乐，就跟司马相如说："你只要和我一起去临邛县，向兄弟们借点钱，足可以维持生活，怎么也不会像现在这样子。"司马相如感到惭愧，就跟卓文君一起到了临邛，卖掉了他们的全部车马，买了一间酒店来卖

■ 西汉·拂袖女舞俑

酒。卓文君看管酒店，做买卖。司马相如身穿工作服，跟雇工们一起在路边洗刷酒具。

卓王孙听说了女儿的这种情况，感到耻辱，闭门不出。兄弟们都去劝卓王孙。卓王孙不得已，只好送给卓文君奴仆100人，钱100万，还有衣服被褥和各种财物。卓文君和司马相如得到这些支持，就重新回到了成都，购买了田地房屋，成为了富人。

史记故事中的大启发

■ 卓文君听琴台

231

刘赐家闹祸患

有一年的秋天，衡山王刘赐准备进京拜见皇上，路过淮南国。当时，淮南王刘安正准备造反，想拉拢哥哥衡山王，就对他说了些兄弟间要相亲相爱的话语。衡山王很感动，于是两人就消除了以前的矛盾，商量共同制造反叛的兵器。衡山王借口生病，也不准备进京城见皇上了。

过了一年，因为怀疑王后的继母被刺，是太子刘爽干的，所以衡山王派人送信给皇上，请求废掉太子刘爽，立二儿子刘孝为太子。刘爽听到后，就派他的好朋友白嬴去长安给皇上送信，说弟弟刘孝制造战车和箭支，准备造反。但是，白嬴与淮南王的反叛有牵连，所以一到长安，还没有把信送到，就被抓了起来。

衡山王听说刘爽派白嬴送信给皇上，害怕自己的秘密被皇上知道，就往上写信控告太子刘爽干了伤天害理的事，应该判处死刑。皇上拿到控告信，把这件事交给沛郡

答案 ■ 刘赐和刘安。

处理。负责办案的人员来到沛郡，到处搜捕跟从淮南王谋反的人，一个都没有抓到，却在衡山王二儿子刘孝的家里抓到了陈熹。

陈熹曾多次与衡山王策划造反，刘孝害怕他把这件事泄露出去，他还担心白嬴向皇上透露衡山王企图造反的事。想了很久，刘孝觉得没有什么办法，就主动去承认，还揭发了参加造反的陈熹、陈赫等人。廷尉（司法官）审讯完

■ 西汉·耧车（模型）

刘孝后，公卿（高级官名）大臣们向皇上报告，主张立刻逮捕衡山王。皇上说："用不着逮捕！"随后，皇上派官员司马安和李息赶到衡山国，就在那里审讯衡山王。衡山王知道事情不好了，就老老实实地回答，没有一点隐瞒。两位官员回到朝廷，向皇上汇报，大臣们还要再审讯衡山王，衡山王听说了，知道自己一点活着的希望都没有了，于是就自杀了。淮南王刘安在这之前，因为怕受处罚，也自杀身亡了。

其他几个反叛的人，也都受到了严厉的惩罚。刘孝最后被处死示众；太子刘爽也犯了罪，被判处死刑，用来警告天下人。其他那些参加反叛的人，全家人都被斩首。

■ 西汉·银女坐俑

史记故事中的大启发

天生狱官张汤

张汤，是杜县人。他的父亲曾经担任长安县县丞（县长）。

有一次，张汤的父亲出门办事，把小张汤留在家里看家。父亲回来后，看到老鼠偷了肉，很生气，就用鞭子抽打张汤，责备他连家都看不住。张汤觉得很委屈，就挖洞捉老鼠，结果抓到了老鼠，还捡回了剩下的肉。这还不算完，张汤还把老鼠绑在桌子腿上假装自己是法官，拷打审问老鼠，装模作样地一条一条列举罪状，记录老鼠承认的罪行，根据老鼠罪行的性质和认罪的表现做出判决，把老鼠当堂分尸处死。

他父亲起初觉得好玩，但他看出张汤写的判决文书像真正法官写的一样，十分吃惊。从这以后，父亲就让张汤学习写判决文书。他父亲死后，张汤在长安县担任一个小官，做了很长时间。后来武安侯田蚡担任丞相，调张汤做内史，掌管祭祀和文书记事。武安侯田蚡还经常向皇上推荐他，所以张汤慢慢升到太中大夫，主要负责监察、执法工作。

张汤和赵禹一同制定各种法令，用尽可能严格的法律条文来管制各级官员。不久，赵禹升为少府，掌管财物和文书等，而张汤担任

史记故事中的大启发

答案 ■ 主要负责监察、执法工作。

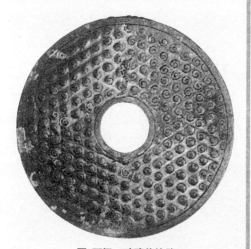

■ 西汉·玻璃谷纹璧

廷尉，掌管刑狱和军事。两个人关系亲密，张汤像对待哥哥一样对待赵禹。

张汤做事善于借助别人的力量。每次遇到难办的事，要是请皇上评判，他总要预先给皇上说清事情的经过，皇上发表了意见之后，张汤就详细地记录下来，作为判案的法规，再难判的案子也容易判了，然后用自己的名义公布，

既能给自己增加功劳，又能颂扬皇上的英明，一举两得。张汤做事从来都是顺着皇上的心意去做。他要审判的案子，如果皇上想要从严判决，他就让执法严酷的法官去处理；如果皇上想释放，他就交给执法宽松的法官去做。就这样，张汤当上了大官，很受皇帝重视。

张汤自己的修养很好，喜欢与朋友来往，同他们一起喝酒吃饭，亲密无间。对于老朋友的子女，无论是当官的还是做平民的，他都照顾得无微不至。

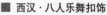

■ 西汉·八人乐舞扣饰

235

王温舒用恶人治人

史记故事中的大启发

王温舒年轻的时候，不干正事，做过盗窃坟墓的坏事。后来，他找机会，做了县里的亭长（乡村1000户为一亭，设亭长，负责治安、民事等），但是仍然做坏事，屡次被罢官。后来，张汤看中他，于是让他担任御史，到处抓捕盗贼，杀了不少人，逐渐升到了广平都尉（掌管全郡的军事）。

到了广平郡之后，他从郡中的暴徒里面选了10多个人，作为自己的助手。他们每个人的重大罪行都掌握在王温舒手里，所以他们都得乖乖地听王温舒的话，让他们干什么，他们就得干什么。王温舒让他们去抓捕盗贼，他们就尽力地去抓捕，如果完不成任务，就根据他过去的罪行杀死他，并且灭掉他的家族。这样一来，不但当地没有盗窃的事，而且齐地和赵地的

盗贼也不敢走近广平，所以广平没有偷东西的。皇上听说了，就提升王温舒为河内太守。

王温舒到了河内，还是使用在广平的办法，抓捕郡中有权有势的恶霸，连同恶霸的家族、亲戚

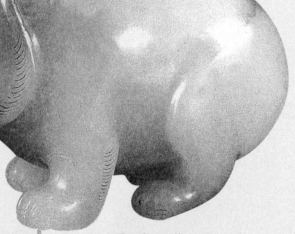

■ 西汉·玉熊

和邻居有1000多家，罪大的杀灭全家族，罪小的处死个人，家里财产全都没收。当时处死犯人，血流了10多里。到了十二月底，该杀的都杀了，不该杀的也杀了，郡中没有人再敢说话，没有人敢在夜里走出去，连野外的狗都不敢乱叫。有少数罪犯逃到了附近的郡国，王温舒派人去抓，抓回来之后

答案 ■ 负责首都治安。

正好是春天。汉朝一向的做法是在冬天里杀人，所以抓回来的人暂时还不能杀，王温舒感到特别失望。

皇上听说了王温舒的做法，认为他能干，提升他担任中尉，负责首都治安。他维护社会治安，还是用在河内的那套老办法，用恶人去治人，到处抓人杀人，弄得人们整天提心吊胆。

自从王温舒等人用凶恶的手段做事之后，其他地方的官员也都仿照他的做法处理事务。俗话说，压迫越凶反抗越强。全国官员和百姓有更多人犯法，盗贼到处都是。大的团伙达到几千人，他们攻打城镇，简直就像起义军一样；小的团伙有几百人，每天都抢劫杀人，政府抓也抓不过来，社会更加不稳定。

史记故事中的大启发

237

义纵比老虎厉害

史记故事中的大启发

义纵，是河东人，从小就凶暴霸道，跟好朋友张次公一起抢劫，结伙当强盗。

义纵有个姐姐，医术高超，得到了汉朝太后的宠爱。可太后问她："你有当官的兄弟吗？"他姐姐说："有个弟弟，但品德不好，不适合当官。"可太后不信，还是告诉了皇上，皇上任命义纵当中郎，侍从皇帝，后来担任上党郡某县的县令（县长）。

义纵处理政府的事务非常严酷，很少宽容，县里人都怕他，连逃跑都不敢，所有人都遵纪守法。不久，义纵被提升为长陵和长安县令，还是依法处理政府事物，不管遇到谁，不管你是有权有势的，还是皇帝的亲戚，都得依法律办事。王太后的重孙子犯了罪，义纵也严厉惩罚，决不宽恕。皇上认为他做得好，提拔他当河内都尉，协助郡守工作。他一到那里，就把那里欺压百姓的人铲除得一干二净，河内郡没有偷东西的，社会风气比原来好多了。这时候，义纵的老朋友张次公也当了郎官，勇猛善战，立了功，被封为炭头侯。

武关有个人叫宁成，他是当时最著名的有权有势的人，对人非常凶狠毒辣。可是义纵到了武关，宁成一点脾气都没有，侧着身子跟随在义纵的后边，恭恭敬敬的。义纵到了武关，就开始追查宁成家的罪行，完全粉碎了宁家的势力。宁成被判有罪，抓了起来。其他横行霸道的人，干脆就离家逃走。从此大家更害怕义纵，谁也不敢随便胡来。

当时，朝廷军队屡次从定襄出发去攻打匈奴，闹得定襄的官员和百姓人心惶惶，对朝廷有不满情绪。于是，朝廷就派义纵到定襄郡担任太守（郡太守是县太守的上级）。从那以后，郡中的人一提到义纵，就害怕得发抖。

238

答案 ■ 定襄郡太守。

汉武帝求仙

汉武帝注重对鬼神的祭祀。有个叫做少翁的人，由于会招引鬼神的方法，被皇上召见。皇上按照他说的，建造甘泉宫，画上天、地、太一等各种神，并安置一些祭祀器具以招来天神。

过了一年多，少翁的方法没有见效，神灵没有到来。于是少翁就偷偷在一些丝织物上写了几个字，让牛吞下去，然后对别人撒谎，说这头牛肚子里有奇怪的东西。把牛杀掉一看，原来是一张丝织物的字条，上面的文字内容非常奇怪。这件事让皇上起了疑心。有人认识字条的笔迹，皇上派人询问少翁，发现果然是他伪造的字条，于是杀了少翁，不许任何人再提这件事。

少翁被杀的第二年，皇上在鼎湖宫生病了，病得还特别厉害，巫医想了很多办法医治，也没治好。有人向皇上

推荐一个巫师，皇上就把他召来，安置在甘泉宫祭祀。巫师说："天子放心，等您的病略微好转一些，再来甘泉宫与我见面。"皇上的病好些了，就去甘泉宫，随后不久，果然病就全好了，于是把巫师搬到寿宫安置。巫师最崇拜的是太一神，太一神的辅神叫做大禁、司命等等。这些神仙有时候离去，有时候来临；有时候白天说话，更多的时候还是在夜里说话。这些神仙说什么话，都由巫师传达出来。其实，巫师说的话也都是常见的，没有什么特别的不同，但是皇上很喜欢。

图书在版编目（CIP）数据

《史记》故事中的大启发/禹田编.
北京：同心出版社，2005
ISBN 7-80593-981-0

Ⅰ.史... Ⅱ.禹... Ⅲ.史记-译文 Ⅳ.K204.2

中国版本图书馆CIP数据核字（2004）第104288号

图书策划 禹田文化 YUTIAN CIVILIZATION

策　　划／安洪民
编　　著／禹　田
文字编写／杜士森
责任编辑／宛振文　魏海萍
设计制作／禹田文化

发行服务电话／(010)88383323　88385022
E-mail／yutianwenhua@sohu.com
常年法律顾问／共和律师事务所　王学林律师

史 记 故 事 中 的 大 启 发

出　　版／同心出版社
地　　址／北京市建国门内大街20号
邮　　编／100734
电　　话／(010)84279112
E-mail／txcbszbs@bjd.com.cn
印　　刷／北京世艺印刷有限公司
版　　次／2005年1月第1版　第1次印刷
开　　本／787×1092　1/16
印　　张／15印张
字　　数／98千字
定　　价／26.80元

同心版图书　版权所有　侵权必究